EEN

ONGEMAKKELIJKE

WAARHEID

CANEY FORK RIVIER
CARTHAGE, TENNESSEE, 2006
FOTO: TIPPER GORE

EEN ONGEMAKKELIJKE WAARHEID

HET GEVAAR VAN HET BROEIKASEFFECT EN WAT WE ERAAN KUNNEN DOEN

AL GORE

AL EN TIPPER GORE OP DE
CANEY FORK RIVIER, EEN
MAAND VOOR DE GEBOORTE VAN
KARENNA, HUN EERSTE KIND,
CARTHAGE, TENNESSEE, 1973

Voor mijn geliefde vrouw en partner,
Tipper, die me de hele reis vergezeld heeft

Inleiding

Sommige ervaringen zijn zo intens, dat de tijd lijkt stil te staan. Als de klok weer gaat lopen en ons leven zijn normale loop herneemt, blijven de herinneringen daaraan springlevend. Alsof ze weigeren deel te worden van het verleden.

Zeventien jaar geleden raakte mijn jongste kind ernstig, bijna dodelijk gewond. Ik heb dit verhaal al vaker verteld, maar de betekenis ervan verandert en verdiept zich voor mij nog altijd.

Dit geldt ook voor het verhaal dat ik al vele jaren lang vertel over het wereldmilieu. Toen, zeventien jaar geleden, begon ik te schrijven aan mijn eerste boek, *Earth in the Balance*. Door het ongeval van mijn zoon en de manier waarop dat mijn leven op zijn kop zette, nam ik alles opnieuw onder de loep en met name de prioriteiten die ik tot dan toe in mijn leven had gesteld. Gelukkig is mijn zoon al lang weer helemaal hersteld, maar het was in die traumatische periode dat ik tenminste twee dingen blijvend veranderde. Ik zwoer om voortaan mijn gezin altijd voorrang te geven en om in mijn werk de klimaatcrisis tot prioriteit te maken.

De aantasting van het wereldmilieu verloopt steeds sneller en de noodzaak tot actie daartegen is nog acuter geworden.

In hoofdzaak is het verhaal van de klimaatcrisis onveranderd. De relatie tussen de mensheid en de aarde is volkomen veranderd door een combinatie van factoren, waaronder de bevolkingsexplosie, de technologische revolutie en het negeren van de toekomstige consequenties van ons huidig handelen. Ondertussen komen we in botsing met het ecosysteem van onze planeet. De kwetsbaarste onderdelen ervan raken daardoor vermorzeld.

In de loop der jaren is mijn inzicht in dat proces gegroeid. Ik heb veel gelezen en geluisterd naar de steeds ijzingwekkendere waarschuwingen van vooraanstaande wetenschappers. Met toenemende bezorgdheid zie ik de crisis steeds ernstiger worden en bovendien ontpopt hij zich veel sneller dan wie ook verwachtte.

In elke uithoek op aarde – op land, in water, in smeltend ijs en sneeuw, in hittegolven en droogtes, in het oog van orkanen en in de tranen van degenen die voor dat natuurgeweld op de vlucht zijn – worden we geconfronteerd met een opeenstapeling van niet te ontkennen bewijzen dat de natuurlijke processen ingrijpend veranderen.

Ik ben erachter gekomen dat er – naast de dood en belastingen – ten minste nog één ander vaststaand en onbetwistbaar feit is: de opwarming van de aarde door menselijk handelen. Dat proces neemt bovendien steeds gevaarlijkere vormen aan – en zo snel dat we wereldwijd in een noodsituatie verkeren.

Een deel van wat ik de afgelopen veertien jaar heb geleerd, komt ook voort uit persoonlijke omstandigheden. Sinds 1992 is er veel veranderd in mijn leven. Onze kinderen zijn volwassen geworden en onze twee oudste dochters zijn getrouwd. Tipper en ik hebben twee kleinkinderen. Mijn beide ouders en Tippers moeder zijn overleden.

Minder dan een jaar nadat *Earth in the Balance* verscheen, werd ik gekozen tot vice-president – een functie die ik uiteindelijk acht jaar heb vervuld. In de regering-Clinton-Gore kon ik me inzetten voor een ambitieus klimaatbeleid.

In die tijd merkte ik zelf hoe sterk het Congres zich daartegen verzette. Met ontzetting zag ik hoe die weerstand verergerde nadat de Republikeinen met agressieve conservatieve leiders daar in 1994 de macht hadden overgenomen.

Ik was actief betrokken bij vele bijeenkomsten om het publiek bewust te maken van de klimaatcrisis en steun te verzamelen voor acties in het Congres. Ik leerde daarbij veel over de grote veranderingen van de afgelopen decennia in de kwaliteit van het Amerikaanse democratische debat: amusementswaarde overheerst in wat we vroeger *het nieuws* noemden en individuen met een afwijkende mening worden stelselmatig buiten het publieke debat gehouden.

In 1997 droeg ik bij aan een doorbraak in de onderhandelingen in het Japanse Kyoto, waar de wereld een baanbrekend verdrag opstelde ter beperking van de uitstoot van *broeikasgassen*. Terug in de VS stond ik voor het helse karwei om in de Senaat steun te krijgen voor dit verdrag.

In 2000 stelde ik me kandidaat voor het presidentschap. Het werd een lang en hard gevecht, dat eindigde in een vijf-tegen-vierbeslissing van het Hooggerechtshof om met het tellen van de stemmen in de 'sleutelstaat' Florida te stoppen. Dat was een harde klap voor mij.

Vervolgens zag ik hoe George W. Bush werd beëdigd als president. In zijn eerste week in functie trok hij zijn verkiezingsbelofte in om de CO_2-uitstoot te beperken, een belofte die veel kiezers had overtuigd dat Bush zich echt om het milieu bekommerde.

Snel na de verkiezingen werd duidelijk dat de regering-Bush-Cheney vastbesloten was al het beleid tegen klimaatopwarming te blokkeren. Ze probeerden met alle macht om bestaande wetten en regels af te zwakken en – waar mogelijk – zelfs in te trekken. Ze verloochenden zelfs Bush' verkiezingsretoriek over klimaatverandering: er wás helemaal geen probleem.

Ondertussen moest ik, immers zonder baan, besluiten wat ik zelf zou gaan doen. Het was geen gemakkelijke tijd, maar het bood me de kans een nieuwe start te maken. Eerst nam ik wat afstand om te bepalen waar ik mijn energie op zou moeten richten.

Ik ging lesgeven aan hogescholen in Tennessee en publiceerde, samen met Tipper, twee boeken over het Amerikaanse gezin. We verhuisden naar Nashville en kochten een huis op minder dan een uur rijden van onze boerderij in Carthage. Ik stapte het bedrijfsleven in, richtte twee bedrijven op en werd adviseur van twee grote bestaande hightech-bedrijven.

Ik heb het erg getroffen met mijn werk, waarbij ik de wereld een klein duwtje in de goede richting kan geven.

Met mijn compagnon Joel Hyatt richtte ik Current tv op, een nieuws- en informatiezender die via de kabel en de satelliet te ontvangen is en zich richt op twintigers. We gaan uit van een – in de huidige samenleving – revolutionair idee, namelijk dat kijkers zelf programma's maken en zo deelnemen aan het publieke debat. Met mijn compagnon David Blood begon ik het bedrijf Generation Investment Management om te bewijzen dat milieu en andere duurzaamheidsaspecten volledig kunnen worden geïntegreerd in het reguliere investeringsproces, en dat met meer winst voor onze klanten, terwijl bedrijven tot duurzamer ondernemen worden gestimuleerd.

Aanvankelijk overwoog ik opnieuw presidentskandidaat te worden. Ik heb echter ontdekt dat ik me ook op andere en zeer plezierige manieren verdienstelijk kan maken.

Ik blijf echter ook deelnemen aan het publieke debat en ik zal de mondiale milieuproblematiek daarin centraal blijven stellen.

In de zomers die ik als kind doorbracht op onze familieboerderij in Tennessee, zag ik mijn vader zorgen voor het land. Sindsdien heb ik me altijd zeer voor het milieu geïnteresseerd. Mijn jeugd speelde zich half in de stad en half op het platteland af. Het liefst was ik op onze boerderij. Vanaf het moment dat mijn moeder mijn zus en mij voorlas uit de klassieker *Silent Spring* van Rachel Carson, en mijn docent Roger Revelle voor het eerst over klimaatverandering vertelde, heb ik geprobeerd de schadelijke effecten van menselijk handelen op de natuur beter te begrijpen. Als politicus heb ik steeds beleid nagestreefd om die effecten te verminderen of te stoppen.

Tijdens de Clinton-Gore-jaren hebben we op milieugebied veel bereikt, al was dat – door het vijandige Republikeinse Congres – minder dan nodig was. Sinds de bestuurswisseling heb ik met groeiende bezorgdheid moeten toezien hoe vrijwel al de vooruitgang teniet is gedaan.

Na de verkiezingen van 2000 besloot ik mijn diaserie over klimaatverandering weer te gaan vertonen. Die dateert uit de tijd van *Earth in the Balance*, maar is daarna telkens uitgebreid en verbeterd. Het is inmiddels – denk ik – een overtuigend verhaal: de mens is de belangrijkste veroorzaker van klimaatverandering en we zullen snel actie moeten ondernemen om te voorkomen dat de gevolgen ervan onomkeerbaar zullen zijn.

De afgelopen zes jaar reisde ik de hele wereld over om de informatie die ik had verzameld te delen. Ik ging naar grote steden, maar ook naar dorpjes. En ik heb het gevoel dat ik steeds meer gehoor krijg, hoewel het een langzaam proces is.

In het voorjaar van 2005 hield ik mijn verhaal in Los Angeles. Na afloop kwamen er mensen op me af, die vonden dat ik er een film van moest maken. Ik wist dat ze het meenden want er waren bekende mensen uit de amusementswereld bij, zoals filmproducer Lawrence Bender, en milieuactiviste Laurie David. Ik had echter geen idee hoe mijn diaserie tot

een film gemaakt zou kunnen worden. Tijdens een volgende ontmoeting werd ik voorgesteld aan Jeff Skoll, oprichter en baas van Participant Productions. Hij bood aan de film te financieren. Ik ontmoette daar ook Davis Guggenheim, een getalenteerde oudgediende in de filmwereld die de film wel wilde regisseren. Later kwam ook Scott Burns bij het productieteam, en Lesley Chilcott, als coproducent en wegbereider.

Mijn angst was dat voor het maken van een film de wetenschappelijke basis zou worden opgeofferd ten behoeve van de amusementswaarde. Hoe vaker ik echter met het team sprak, des te meer raakte ik ervan overtuigd dat we dezelfde doelen voor ogen hadden. Als ik snel zo veel mogelijk mensen wilde bereiken, in plaats van een paar honderd per avond, dan was dit de manier om het te doen. De film *An Inconvenient Truth* is inmiddels af en ik ben er erg enthousiast over.

Nog voor het idee voor een film werd aangedragen opperde Tipper om dit boek te maken. Een verhaal met verhelderende afbeeldingen en grafieken, waarin ik fragmenten van mijn dialezing en recenter materiaal zou verwerken.

Tipper en ik schenken overigens de winst uit boek en film helemaal aan niet-partijpolitieke activiteiten om de publieke opinie in de vs te overtuigen om harde maatregelen tegen klimaatverandering te steunen.

Ruim dertig jaar verdiep ik me nu in klimaatverandering. Die kennis wil ik delen en dan op een zodanige manier dat het een divers lezerspubliek aanspreekt. Ik hoop dat boek en film zullen bijdragen aan het besef dat klimaatverandering niet slechts een wetenschappelijk of politiek onderwerp is. Het is echt een morele kwestie.

Hoewel politici soms een cruciale rol spelen bij het oplossen van deze problematiek, gaat het hier om een uitdaging die de partijpolitiek zou moeten overstijgen. Wat uw politieke voorkeur ook is, en of u mij nu graag als president van de vs had gezien of juist niet, ik hoop van harte dat u mijn passie voor de aarde en mijn diepe bezorgdheid over haar lot kunt delen.

Tegelijkertijd wil ik duidelijk maken dat er niet alleen reden is voor alarm, maar ook, hoe vreemd dat ook klinkt, voor hoop. Het Chinees duidt 'crisis' aan met twee karakters: 危机. Het eerste staat voor 'gevaar' en het tweede voor 'kans'.

De klimaatproblematiek is uitermate ernstig. Er is sprake van een noodsituatie op wereldschaal. Tweeduizend wetenschappers uit zo'n honderd landen hebben op basis van nauwe, zeer goed georganiseerde samenwerking gedurende twintig jaar daarover een zeer sterke consensus bereikt: alle naties moeten zich gezamenlijk inspannen om de klimaatcrisis op te lossen. Als we niet snel en daadkrachtig de oorzaken aanpakken, staat ons een reeks van rampen te wachten zoals nog meer en heftige orkanen vergelijkbaar met Katrina. De aanwijzingen daarvoor zijn inmiddels omvangrijk en overtuigend.

We laten de ijskap van de Noordpool en bijna alle gletsjers smelten. Door ons toedoen verliezen het ijs op Groenland en de gigantische ijsmassa op de eilanden van de westelijke Zuidpool hun onveranderlijkheid. Smelt dat ijs, dan stijgt het zeeniveau wereldwijd in beide gevallen met zo'n zes meter.

Wat ook op het spel staat is de onveranderlijkheid van oceaanstromen en windpatronen die ouder zijn dan de tijd waarin de mensheid de eerste steden bouwde, bijna 10.000 jaar geleden.

We brengen zo'n enorme hoeveelheid kooldioxide (CO_2) in de atmosfeer dat we de relatie tussen de aarde en de zon hebben veranderd. De oceanen absorberen zoveel van dit CO_2, dat, als we hiermee doorgaan, de chemie van het zeewater dusdanig verandert dat er geen koraal meer zal groeien en dat het schelpen en schaaldieren niet meer zal lukken om hun beschermende omhulsels uit calciumcarbonaat op te bouwen.

De opwarming van de aarde veroorzaakt samen met het kappen en platbranden van bossen en het verlies van andere belangrijke habitats een verlies aan soorten dat vergelijkbaar is met het massale uitsterven van onder meer de dinosauriers 65 miljoen jaar geleden. Toen was de oorzaak waarschijnlijk de inslag van een grote asteroïde. Nu is het geen asteroïde die met de aarde in botsing komt, maar het is de mens zelf.

Vorig jaar kwamen de nationale wetenschappelijke academies van de elf invloedrijkste landen bijeen. Samen riepen ze elk land op 'te erkennen dat de dreiging van klimaatverandering duidelijk is en toeneemt', en te verklaren dat 'het wetenschappelijk inzicht in klimaatverandering nu voldoende helder is om onmiddellijke acties te rechtvaardigen'. De boodschap is niet mis te verstaan: deze crisis betekent: 'Gevaar!'

Waarom lijken leiders zo'n duidelijke waarschuwing niet te horen? Is de waarheid gewoon te ongemakkelijk? Als de waarheid ongelegen komt, lijkt negeren het gemakkelijkst. Uit bittere ervaring weten we echter dat de gevolgen daarvan ons duur kunnen komen te staan.

De eerste waarschuwingen, dreigende dijkdoorbraken in New Orleans door Katrina, werden genegeerd. Een officieel rapport van een groep Republikeinse en Democratische congresleden schreef later: 'Het Witte Huis ondernam geen actie ondanks de stroom aan informatie die men had gekregen.' 'Een verblindend gebrek aan besef van de feitelijke situatie en ongecoördineerde besluitvorming heeft de Katrina-ellende bovendien nodeloos erger gemaakt en verlengd.'

De vergelijking met de klimaatcrisis dringt zich op: men lijkt de mogelijk ergste catastrofe in de geschiedenis van de menselijke beschaving niet te willen zien. En 'men' zijn in dit geval de volksvertegenwoordiging en de president.

Kort voor hij werd vermoord zei Martin Luther King Jr.: 'We moeten onder ogen zien dat morgen al vandaag is. We worden geconfronteerd met de enorme urgentie van het "heden". In het zich ontvouwende raadsel van het leven en de geschiedenis bestaat er zoiets als "te laat zijn".'

'Aarzeling is nog altijd de dief die tijd steelt. In het leven staan we vaak met lege handen, treurend over een gemiste kans. Bij wat mensen ondernemen blijft het niet altijd vloed. Het wordt ook weer eb. We kunnen wanhopig schreeuwen dat de tijd moet stilstaan, maar ze is onvermurwbaar en tikt door, doof voor elke smeekbede. Boven verbleekte botten en de restanten van talrijke beschavingen staan de volgende woorden geschreven: "Te laat". Er is een onzichtbaar levensboek waarin nauwgezet wordt bijgehouden hoe waakzaam we zijn in ons nalaten." Omar Khayyam heeft gelijk: "De bewegende vinger schrijft, en gaat daarna voort."'

Toch biedt de klimaatcrisis ook kansen. Het gaat niet alleen om nieuwe banen en nieuwe winstmogelijkheden, al liggen die ruimschoots in het verschiet. We kunnen namelijk schone motoren bouwen, de energie van zon en wind benutten, stoppen met energieverspilling en de grote kolenvoorraden gebruiken zonder de planeet op te warmen.

Twijfelaars en ontkenners zeggen dat dit allemaal erg duur is. Toch hebben veel bedrijven in de afgelopen jaren hun uitstoot van broeikasgassen verminderd en daarbij geld bespaard. Sommige van 's werelds grootste bedrijven spelen voortvarend in op de enorme economische mogelijkheden van een toekomst met schone energie.

Er is echter iets te winnen dat nog waardevoller is. De klimaatcrisis biedt ons een kans, een privilege zoals nog maar weinigen in de geschiedenis hebben gehad: een missie voor een hele generatie. Een moreel doel, een zaak die mensen verenigt. De sensatie om gedwongen door de omstandigheden trivialiteiten en conflicten opzij te zetten en daarboven uit te stijgen. Het zal ons geestelijk verrijken en verbinden, in plaats van dat we stikken in cynisme of gebukt gaan onder het gevoel van machteloosheid.

We zullen erachter komen dat de crisis eigenlijk helemaal niet politiek is, maar dat die een morele en spirituele uitdaging vormt.

Wat op het spel staat is het voortbestaan van onze beschaving en de bewoonbaarheid van de aarde. Als we beter begrijpen wie we werkelijk zijn, zullen we ook moreel in staat zijn andere, vergelijkbare uitdagingen aan te gaan. Kwesties die eveneens dringend opnieuw gedefinieerd moeten worden als morele verplichtingen waarvoor praktische oplossingen mogelijk zijn: HIV/aids en andere pandemieën, de armoede en de wereldwijde ongelijke verdeling van welvaart tussen arm en rijk, de genocide in Darfur, de hongersnood in Niger en elders, slepende burgeroorlogen, het leegvissen van de oceanen, ontwrichte gezinnen, maatschappijen zonder gemeenschapszin, het afbrokkelen van de democratie in de vs en het monddood maken van het publieke debat.

Denk aan wat er gebeurde tijdens de opkomst van het fascisme. Aanvankelijk was ook de waarheid over Hitler niet welkom. Velen in het Westen hoopten dat het gevaar vanzelf zou overwaaien. Ze sloegen duidelijke signalen in de wind, gingen zo goed en zo kwaad als het kon met de situatie om en hoopten er het beste van.

Nadat Chamberlain aanvankelijk in München een halfslachtige diplomatieke poging tot sussen had ondernomen zei Churchill: 'Dit is slechts het eerste slokje, een voorproefje van een bittere beker die ons jaar na jaar zal worden aangereikt, tenzij we door een krachtig moreel herstel en een krijgshaftige houding weer opstaan en opkomen voor de vrijheid.'

Toen Engeland en daarna de vs en hun bondgenoten in het geweer kwamen tegen de dreiging, wonnen zij zowel de oorlog in Europa als in de Pacific.

Aan het eind van die vreselijke oorlog hadden we het morele gezag en de visie om met een Marshall-plan te komen – en wisten we belastingbetalers te overtuigen om daarvoor te betalen! We hadden de wijsheid om Japan en Europa te willen herbouwen, ook de landen die we net hadden verslagen. En daarmee legden we de basis voor vijftig jaar vrede en voorspoed.

Ook nu is er sprake van een 'moreel momentum'. We staan op een kruispunt. Het gaat uiteindelijk niet om de wetenschappelijke discussie of het politieke debat. Het gaat om de vraag wie we zijn als mensen. Om het vermogen boven onze beperkingen uit te stijgen en deze gelegenheid aan te grijpen. Om zowel ons hoofd als ons hart te laten spreken. We staan voor een morele, ethische en geestelijke uitdaging die we niet moeten vrezen maar juist verwelkomen. Zoals King zei: 'Morgen is al vandaag.'

Ik begon deze inleiding door te beschrijven wat ik zeventien jaar geleden meemaakte, een ervaring waardoor de tijd voor mij stilstond. In die pijnlijke periode verwierf ik iets wat ik daarvoor niet bezat: het vermogen te voelen hoe kostbaar de verbintenis met onze kinderen is en de dure plicht om hun toekomst veilig te stellen en de aarde te beschermen die we hen nalaten.

Stelt u zich met mij voor dat de tijd opnieuw stilstaat, ditmaal voor ons allemaal. En dat we, voordat de klok weer gaat lopen, de kans hebben om onze morele verbeelding te laten spreken en om ons zeventien jaar vooruit in de tijd te verplaatsen. Stelt u zich dan ook een gesprek voor met onze kinderen en kleinkinderen die in het jaar 2023 vol in het leven zullen staan. Zijn ze dan verbitterd? Verwijten ze ons dat we onze plicht hebben verzaakt om de aarde als woonplaats te beschermen? Zullen we de aarde tegen die tijd onherstelbare schade hebben toegebracht?

Stel je nu voor dat ze ons vragen wat we destijds dachten. Of we niet om de toekomst gaven? Of we echt zo met ons zelf bezig waren dat we de vernietiging van het milieu op aarde niet konden of wilden stoppen?

Wat zou ons antwoord dan zijn? We kunnen hun vragen nu beantwoorden. Met daden, en niet alleen met beloften. En door die daden kunnen we een toekomst kiezen waarvoor onze kinderen ons dankbaar zullen zijn.

Voor de meesten van ons is dit de eerste foto die we te zien kregen van de aarde vanuit de ruimte. Hij dateert van kerstnacht 1968 en is genomen uit de Apollo 8, de eerste bemande raket die de baan om de aarde verliet en rond de maan cirkelde om landingsplaatsen te vinden voor de Apollo 11 in de zomer van 1969.

Het ruimteschip vloog achter de maan langs en verloor daarbij, zoals verwacht, radiocontact. Hoewel iedereen de oorzaak van deze stilte kende, heerste er enige tijd grote spanning. Toen het radiocontact hersteld was en de bemanning opkeek, hadden ze dit spectaculaire uitzicht.

Terwijl de astronauten de aarde zagen opkomen vanuit de duistere, lege ruimte, las gezagvoerder Frank Borman uit het boek Genesis: 'In den beginne schiep God hemel en aarde.'

Astronaut Bill Anders maakte deze foto die bekend werd als 'Opkomende aarde'. Het beeld fungeerde als een geweldige eye-opener. De kijk op de eigen planeet kreeg ineens een andere dimensie. Binnen twee jaar nadat de foto was genomen, ontstond de moderne milieubeweging en was er een hele serie milieuwetten van kracht. Ook werd kort daarna Earth Day ingesteld.

De dag na de foto, eerste kerstdag 1968, schreef dichter en schrijver Archibald MacLeish:

'De aarde te zien zoals ze werkelijk is: klein, blauw en prachtig zwevend in de eeuwige stilte, is als onszelf bekijken, als degenen die gezamenlijk op de planeet worden meegevoerd, als broeders op die heldere, lieflijke bol in de eeuwige kou. Broeders die nu weten dat ze echt broeders zijn.'

Dit is de laatste foto van onze planeet die een mens vanuit de ruimte maakte. Het was in september 1972, tijdens de Apollo 17-missie, de laatste Apollo-missie. De aarde gezien vanuit een positie halverwege de aarde en de maan.

Uniek is dat het de enige foto van de aarde is met de zon pal achter het ruimteschip.

Zonsverduisteringen treden alleen op als de aarde, zon en maan ten opzichte van elkaar in één rechte lijn staan. En zo was dit het enige fotomoment tijdens het vier jaar durend Apollo-programma waarop de zon vrijwel direct achter de maan stond terwijl het ruimteschip zijn reis maakte. Daarom is de aarde hier niet deels gehuld in duisternis maar volledig verlicht.

Daarom is dit verreweg de meest gepubliceerde foto ooit. Als u een foto van de aarde ziet, is dat in negentig procent van de gevallen dit beeld.

Deze betoverende beelden van de aarde zijn gemaakt door mijn vriend Tom Van Sant. Hij werkte zich door drieduizend satellietbeelden heen die in een periode van drie jaar tijd genomen waren en selecteerde daaruit de wolkeloze opnamen die ons een blik gunnen op het aardoppervlak. Hij plakte deze beelden digitaal aan elkaar tot totaalbeelden waarop het gehele aardoppervlak helder zichtbaar is.

Deze afbeelding wordt inmiddels in vele atlassen over de gehele wereld gebruikt, ook door *National Geographic*.

De leraar maakte een fout
die Mark Twain beschreef
in zijn beroemde aforisme:

JE KOMT NIET IN MOE DINGEN DIE JE NIET W DOOR WAT JE ZEKER NIET IS.

MARK TWAIN

ILIJKHEDEN DOOR
EET, MAAR JUIST
WEET, MAAR DAT

Dit is een belangrijk punt, want een vergelijkbare vooronderstelling vormt wellicht de grootste belemmering om goed te begrijpen wat er bij klimaatverandering aan de hand is. Veel mensen denken ten onrechte dat de aarde zo groot is dat de mens nooit veel invloed kan hebben op het functioneren van haar ecologische systeem. Misschien was dat vroeger zo, maar nu niet meer. We zijn nu zo talrijk en onze technologieën zijn inmiddels zo krachtig, dat we wel degelijk in staat zijn vele onderdelen van het mondiale milieu significant te beïnvloeden. Het meest kwetsbare deel van het ecologische systeem is de atmosfeer, simpelweg omdat deze laag zo dun is.

Mijn inmiddels overleden vriend Carl Sagan zei altijd: 'Als je een globe vernist, dan geeft de dikte van dat laagje ten opzichte van de globe ongeveer aan hoe dik de atmosfeer is ten opzichte van de aarde.'

EEN DIGITALE VERGROTING VAN
DE ZON DIE ACHTER DE AARDE
TEVOORSCHIJN KOMT, GEZIEN
VANUIT DE RUIMTE, 1984

De atmosfeer is zo dun, dat we in staat zijn de samenstelling ervan te veranderen.

De atmosfeer van de aarde is inderdaad zo dun, dat we de concentratie van sommige moleculaire basiscomponenten ervan drastisch kunnen veranderen. We hebben met name enorm veel meer kooldioxide, het belangrijkste 'broeikasgas', in de atmosfeer gebracht.

Deze beelden illustreren het weten-schappelijke principe van de opwarming van de aarde.

De energie van de zon dringt de atmo-sfeer binnen in de vorm van lichtgolven en verwarmt de aarde. Een deel van de energie wordt vanuit de verwarmde aarde in de vorm van infrarode straling terugge-straald, de ruimte in.

Onder normale omstandigheden raakt een deel van de infraroodstraling die de aarde terugzendt, gevangen in de atmo-sfeer. Gelukkig maar, want dat houdt de temperatuur op aarde binnen de juiste grenzen. Venus heeft zoveel broeikas-gassen dat de temperatuur daar veel te hoog is voor de mens. Op Mars *ontbreken* ze vrijwel geheel, waardoor het er veel te koud is. Daarom wordt de aarde wel de 'Geluksvogel-planeet' genoemd: de tem-peraturen hier zijn precies goed.

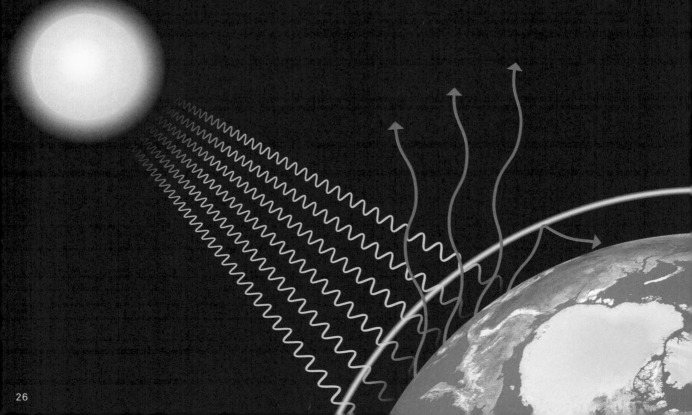

Het probleem is nu dat het dunne schil-
letje van de atmosfeer door toedoen van
de mens dikker wordt door een enorme
uitstoot van CO_2- en andere broeikasgassen. Deze dikkere laag houdt veel infraroodstraling tegen die anders het heelal
in zou ontsnappen. Als gevolg hiervan
stijgt de temperatuur van de atmosfeer
en van de oceanen gevaarlijk.

Dat is de kern van de klimaatcrisis.

WAT ZIJN BROEIKASGASSEN PRECIES?

Als we het over broeikasgassen en klimaatverandering hebben, krijgt koolstofdioxide (CO_2) doorgaans de meeste aandacht. Al is CO_2 verreweg het belangrijkste, er zijn ook nog andere van dergelijke gassen.

Broeikasgassen laten het licht van de zon doordringen in de atmosfeer, maar houden een deel van de teruggekaatste infraroodstraling tegen en verwarmen zo de lucht. Een beperkte hoeveelheid broeikasgassen is gunstig, want anders zou de gemiddelde temperatuur van het aardoppervlak circa -18°C zijn, waardoor de aarde geen echt aangename plek zou zijn om te leven. Nu helpen ze om de temperatuur op een veel aangenamer gemiddelde van zo'n +15°C te houden.

De mens zorgt nu echter voor stijging van de concentraties broeikasgassen, waardoor de gemiddelde temperatuur op aarde oploopt en de gevaarlijke klimaatveranderingen optreden die we om ons heen zien.

CO_2 is goed voor tachtig procent van de totale uitstoot van broeikasgassen. Als we fossiele brandstoffen (olie, aardgas, kolen) verstoken in huizen, auto's, fabrieken en energiecentrales, of als we bos kappen of verbranden, of cement produceren, dan brengen we CO_2 in de atmosfeer.

Evenals CO_2 kwamen ook methaan en stikstofoxiden op aarde voor lang voordat de mens verscheen, maar wij hebben de concentraties van deze stoffen wel enorm verhoogd. Zestig procent van het methaan in de atmosfeer is ontstaan door menselijke activiteit; het komt vrij bij onder andere stortplaatsen, veeteelt, verbranden van fossiele brandstoffen en waterzuivering. In de grootschalige veeteelt wordt gier opgeslagen in grote tanks waaruit methaan ontsnapt – wat niet gebeurt als de mest droog op het veld wordt gebracht. Ook lachgas (N_2O) – nog zo'n kwaaie pier – komt van nature voor in de atmosfeer, maar sinds het industriële tijdperk hebben we er zeventien procent

aan toegevoegd door het gebruik van kunstmest en fossiele brandstoffen en het verbranden van bossen en oogstafval.

Zwavelhexafluoride (SF_6), en de fluorkoolwaterstoffen PKF's en HFK's zijn broeikasgassen die alleen door de mens zijn ontstaan. Het zal geen verbazing wekken dat ook de uitstoot van deze stoffen toeneemt. HFK's zijn vervangers voor de gechloreerde fluorkoolwaterstoffen (CFK's, overigens ook sterke broeikasgassen) die uit onder meer koelsystemen werden verbannen omdat ze de ozonlaag aantasten. PFK's en zwavelhexafluoride komen in de atmosfeer door industriële activiteiten zoals de productie van aluminium en halfgeleiders. Ook ons elektriciteitsnet draagt eraan bij.

Ten slotte: ook waterdamp is een natuurlijk broeikasgas. Bij warmte zet het uit; dit versterkt het effect van andere broeikasgassen.

Dit is de figuur die me aan het denken zette over klimaatverandering. De figuur werd midden jaren zestig getoond aan een kleine groep jonge studenten (onder wie ik zelf) door Roger Revelle, de tweede leraar over wie ik wil vertellen.

Professor Revelle was de eerste wetenschapper die voorstelde om CO_2-concentraties in de atmosfeer van de aarde te gaan meten. Samen met de wetenschapper Charles David Keeling, die hij daarvoor in dienst nam, begon hij vanaf 1958 dagelijks midden op de Stille Oceaan, boven het grote eiland van Hawaï, metingen te verrichten.

Na een paar jaar hadden ze genoeg gegevens verzameld om het onderstaande beeld te produceren, dat Revelle aan mijn klas liet zien. Toen al was duidelijk dat de CO_2-concentratie in de atmosfeer significant aan het oplopen was.

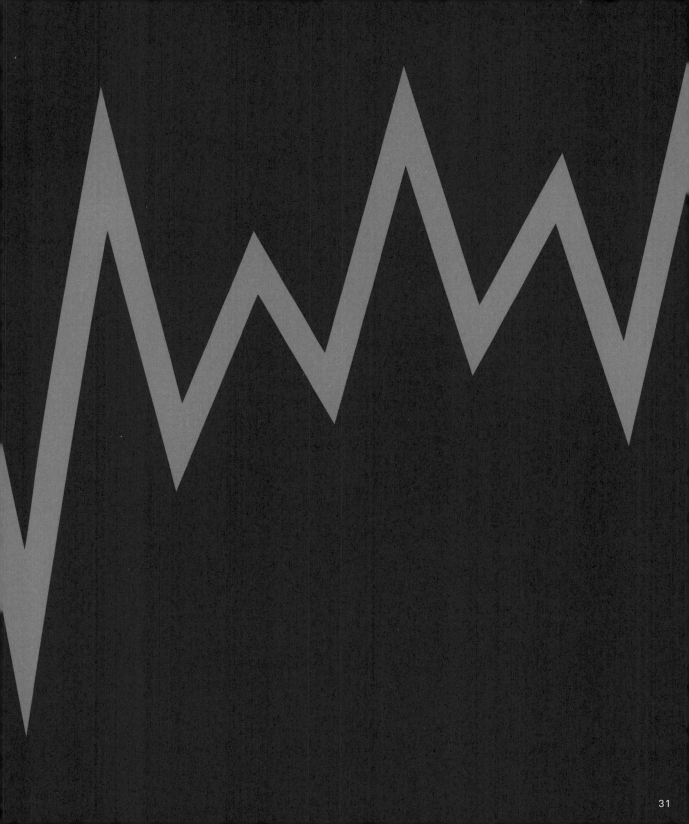

Ik vroeg Revelle waarom de CO_2-concentratie elk jaar zo sterk omhoog en omlaag gaat. Hij legde uit dat verreweg het grootste landoppervlak van de aarde boven de evenaar ligt, zoals te zien is op dit plaatje. Daarom bevindt ook de meeste vegetatie zich ten noorden van deze lijn.

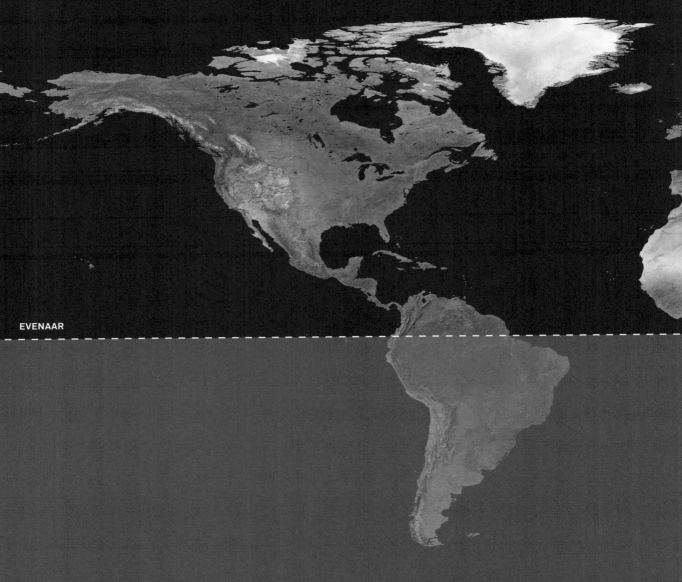

EVENAAR

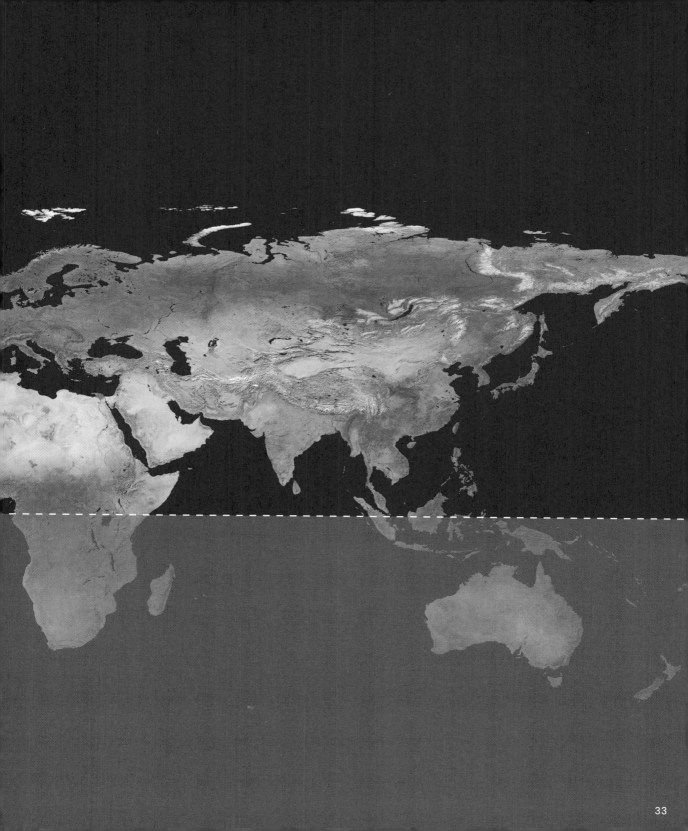

Wanneer het noordelijk halfrond – het deel van de aarde met de meeste vegetatie – in de lente en zomer in de richting van de zon is gedraaid, lopen de planten uit, ademen de bladeren CO_2 in en daalt de hoeveelheid CO_2 wereldwijd.

CO_2-concentraties

Wanneer het noordelijk halfrond in de herfst en winter van de zon is afgewend, vallen de bladeren en geven ze CO_2 terug aan de atmosfeer. Daardoor nemen de concentraties CO_2 weer toe.

Het is dus alsof de gehele aarde elk jaar een keer heel diep inademt en weer uitademt.

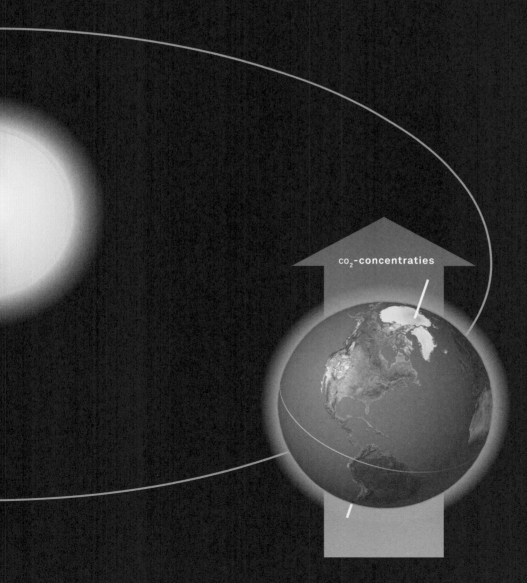

CO_2-concentraties

ATMOSFERISCHE CO$_2$-CONCENTRATIES, GEMETEN OP HET MAUNA LOA OBSERVATORIUM

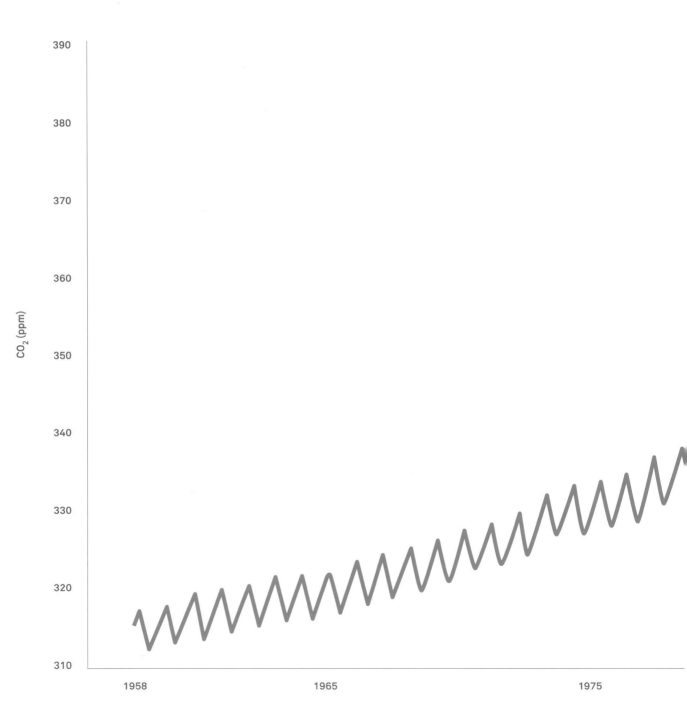

Het patroon van gestaag toenemende CO_2-concentraties heeft zich jaar na jaar voortgezet, nu al bijna een halve eeuw lang. Deze opmerkelijke en dag-in-dag-uit met veel geduld verzamelde gegevens vormen nu een van de belangrijkste meetreeksen in de geschiedenis van de wetenschap.

Voor de industrialisatie was de CO_2-concentratie 280 ppm (parts per million, deeltjes per miljoen). In 2005 was het, gemeten hoog boven Mauna Loa, 381 ppm.

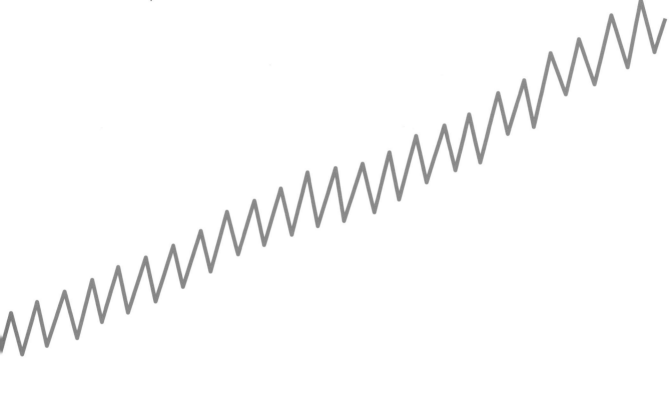

| 1985 | 1995 | 2005 |

BRON: NOAA/SCRIPPS INSTITUTION OF OCEANOGRAPHY

Een wetenschappelijke held

Roger Revelle

Als jong student kreeg ik in de jaren zestig les van een opmerkelijke wetenschapper, professor Roger Revelle. Hij was de eerste die voorstelde om CO_2-metingen in de atmosfeer van de aarde te gaan uitvoeren.

Revelle was een indrukwekkende persoonlijkheid. Hij straalde een ongebruikelijk soort autoriteit uit en dwong altijd respect af bij wie met hem te maken had. Misschien was één van de redenen daarvoor wel dat mijn klasgenoten en ik wisten dat hij behalve een charismatisch leraar ook – en in de eerste plaats – een nauwgezet wetenschapper was. Voorop stond bij Revelle een zorgvuldige, methodische wijze van onderzoek en een geduldige analyse van de enorme hoeveelheid gegevens die hij verzamelde.

In de jaren vijftig kwam Revelle met wat in de wetenschap een 'hypothese' wordt genoemd, maar wat ik beschouw als een bijna profetisch inzicht. Hij voorzag namelijk dat de wereldwijde economische expansie na de Tweede Wereldoorlog – aangedreven door explosieve bevolkingsgroei en draaiend op kolen en olie – vermoedelijk zou resulteren in een ongekende en gevaarlijke toename van de hoeveelheid CO_2 in de atmosfeer.

Daarom stelde hij een gedurfd wetenschappelijk experiment voor: het meten van CO_2-concentraties hoog in de atmosfeer, op meerdere plaatsen, dagelijks en gedurende vele jaren.

Handig gebruikmakend van het International Geophysical Year in 1957 kreeg Revelle de financiering rond. Hij huurde de jonge onderzoeker Charles David Keeling in en zij vestigden hun hoofdstation voor onderzoek op de top van Mauna Loa, de hoogste van de twee grote vulkanen op het grote eiland van Hawaï. Ze kozen deze plek in de Stille Zuidzee, omdat de hier genomen monsters niet 'vertekend' zouden zijn door eventuele lokale industriële vervuilingsbronnen.

Een jaar later begonnen zij weerballonnen op te laten en nauwgezet het CO_2-gehalte te analyseren van de luchtmonsters die ze dagelijks verzamelden.

Professor Roger Revelle

Al na een paar jaren was de trend in de gehaltes duidelijk. In 1968, het jaar waarin ik het leslokaal betrad waar hij natuurwetenschappen doceerde, was Revelle al professor geworden aan de Universiteit van Harvard en liet hij ons de resultaten zien van de eerste jaren van CO_2-metingen op de Mauna Loa.

Ik zal de grafiek die hij op het bord tekende niet snel vergeten, en de dramatische boodschap ervan evenmin: de atmosfeer overkwam iets totaal nieuws en deze verandering werd door mensen veroorzaakt.

Ik was echt ontsteld. Als we zo snel een significante, wereldwijde verandering teweeg konden brengen in de concentratie van zo'n belangrijk bestanddeel van de atmosfeer, dan betekende dat het begin van een volkomen nieuwe relatie tussen mens en planeet. Revelle sprak destijds ook zijn zorg uit over een ongekende absorptie van CO_2 in de oceanen. Hij zag al vroeg in dat de oceanen een groot deel van de last zouden dragen van al die extra CO_2. Onlangs hebben nieuwe

onderzoeken aangetoond dat Revelle ook in dit opzicht gelijk had. De oceanen op aarde worden zuurder als gevolg van de enorme hoeveelheden CO_2, dat in het water wordt omgezet in koolzuur. Die verzuring begint in de koudere wateren bij de polen, maar als we ons gedrag niet snel aanpassen zal dat proces overal in de oceanen gaan optreden.

Een verontrustende boodschap, maar de logica van Revelle had een aura van waarheid, waardoor hij serieus genomen werd. Wij merkten dat hij zelf ook verbaasd en verontrust was hoe snel de CO_2-concentratie toenam. Wat vooral van belang was: hij begreep wat de waarschijnlijke conclusies daarvan zouden kunnen zijn, en hij besprak die ook met ons. Hij wist dat we met de weg die onze beschaving was ingeslagen op een catastrofe afdenderden, tenzij we tot een trendbreuk in staat waren.

Voor Revelle als boodschapper en voor ons als toehoorders was dit een moeilijke mededeling, net zo goed als het nu een ongemakkelijke boodschap is.

Nadat ik was afgestudeerd hield ik contact met professor Revelle en ik volgde hoe hij jaar in jaar uit doorging met zijn metingen. Toen ik tot congreslid werd gekozen, hielp ik bij het organiseren van de eerste hoorzitting van het Congres over de opwarming van de aarde. Ik nodigde Revelle uit als hoofdgetuige. Ik was ervan overtuigd dat zijn heldere betoog de ogen van mijn medecongresleden zou openen, zoals destijds bij mij gebeurde.

Ik zat er helemaal naast. Tot mijn verrassing en teleurstelling kwam de urgentie van het probleem gewoon niet over. Ik had volkomen onderschat met hoeveel weerstand en desinteresse zijn alarmerende prognose werd ontvangen. En het was niet de laatste keer dat ik die ervaring zou hebben.

Ik stuitte op vergelijkbare problemen toen ik senator werd en voorzitter van talrijke hoorzittingen en rondetafelgesprekken met wetenschappers. En het overkwam me weer toen het niet lukte om wetgeving erdoor te krijgen om de CO_2-uitstoot te beperken. Ik stuitte er weer op toen ik in 1987 en 1988 voor het eerst presidentskandidaat wilde worden, deels om meer aandacht voor het onderwerp te vragen. Het bleek erg lastig om dit onderwerp in Amerika op de politieke agenda te zetten. Ik ervoer dat opnieuw als vicepresident, toen ik het Congres probeerde te bewegen om stevige maatregelen tegen de klimaatcrisis goed te keuren, en toen ik de Senaat wilde overtuigen om het Kyoto-verdrag, dat ik had helpen opstellen, te ratificeren. En ook nu stuit ik nog altijd op dezelfde barrières.

Toch laat ik het er niet bij zitten. Nog steeds probeer ik over te brengen wat de harde feiten te betekenen hebben die Roger Revelle me in dat klaslokaal onthulde.

Ik ben slechts een van de vele studenten die door hem zijn geïnspireerd. Talrijke wetenschappers zijn dat evenzeer. De belangrijkste was Revelle's in 2005 overleden onderzoekscompagnon Charles David Keeling, die door collega's en in heel de vs werd geëerd als een wetenschappelijke held. Met buitengewoon uithoudingsvermogen, deskundigheid en precisie mat Keeling CO_2-concentraties. Elke dag, bijna een halve eeuw lang.

Revelle stierf in 1991, voordat de wereld iets had gedaan met zijn boodschap. Ik zag hem voor het laatst in San Diego, kort voor zijn dood. Van tijd tot tijd heb ik nog steeds contact met zijn familie. Ik mis deze grote man. Hij veranderde mijn leven door zijn vooruitziend onderzoek, zijn wijsheid en aanhoudende roep om aandacht voor de harde wetenschappelijke feiten en – misschien nog het meest – door de grafiek die hij me toonde.

Ik laat die grafiek van stijgende CO_2-concentraties nog steeds wekelijks meerdere malen zien. Hij is inmiddels, na 48 jaar meten, een stuk uitgebreider dan de versie die ik de eerste keer onder ogen kreeg. Bovendien is de lijn 650.000 jaar naar het verleden doorgetrokken op basis van informatie die is ontleend aan ijsboringen op Antarctica en Groenland. Met behulp van moderne krachtige computers en klimaatmodellen is het ook mogelijk vele jaren vooruit te kijken, om te zien hoe keuzes die we nu maken in de toekomst zullen uitpakken.

Het is een eerbetoon aan het schitterende wetenschappelijk werk van Revelle dat zijn meetreeks nu de reeks is waarop ons begrip van de veranderende planeet gebaseerd is. En het is een eerbetoon aan zijn wijsheid dat we steeds nauwkeuriger kunnen ontdekken welke gevaren op ons afkomen, nu we nog tijd hebben om de aarde weer in balans te brengen.

BOVEN: *Revelle tijdens een hoorzitting van het Congres, Washington, 1979*
ONDER: *Charles Keeling in het laboratorium, La Jolla, California, 1996*

Het is glashelder dat de wereld om ons heen ingrijpend aan het veranderen is.

Dit is de Kilimanjaro in 1970, met zijn legendarische sneeuwvelden en gletsjers.

KILIMANJARO, TANZANIA, 1970

En hier de berg dertig jaar later, met veel minder sneeuw en ijs.

KILIMANJARO, 2000

43

Mijn vriend Carl Page vloog in 2005 over de Kilimanjaro en nam deze foto.

KILIMANJARO, 2005

Een andere vriend, dr. Lonnie Thompson van de Universiteit van Ohio, is een van 's werelds meest deskundige wetenschappers op gletsjergebied. Hier staat hij (in 2000) op de top van de Kilimanjaro naast het bedroevende restje van een van de gletsjers van de berg.

Hij voorspelt dat er over minder dan tien jaar op de Kilimanjaro geen sneeuw meer zal liggen.

Het Nationale Gletsjerpark in Montana zal binnenkort moeten worden omgedoopt in 'Het park dat vroeger "Gletsjerpark" heette'.

BOULDER-GLETSJER,
MONTANA, 1932

De gletsjer op de linkerpagina was in de jaren dertig een toeristische attractie. Nu is er niets meer van over. In 1997 klom ik met een van mijn dochters naar een grote gletsjer in dit park. De wetenschappers die ons vergezelden vertelden dat binnen vijftien jaar waarschijnlijk álle gletsjers in het park verdwenen zullen zijn.

Overal ter wereld smelten bijna alle berggletsjers weg, en in veel gevallen gaat dat snel. Dat zou een les moeten zijn.

PERITO MORENO-GLETSJER, PATAGONIË, ARGENTINIË, 2003

De rode lijnen laten zien hoe snel
de Columbia-gletsjer in Alaska zich sinds
1980 heeft teruggetrokken.

TELOORGANG VAN DE
COLUMBIA-GLETSJER, PRINCE
WILLIAM SOUND, ALASKA, 1997

2005
1999
1997
1993
1989
1987
1984
VOOR 1980

BRON: MEIER EN DYURGEROV, *SCIENCE*, 2002

Overal ter wereld
hetzelfde verhaal, ook in de Andes in
Zuid-Amerika.

Dit is een gletsjer in Peru, vijftien jaar geleden.

QORI KALIS-GLETSJER, PERU, 1978

Dezelfde plek in 2006.

QORI KALIS-GLETSJER, PERU, 2006

Deze mooie foto van een geweldige gletsjer in Patagonië, in de zuidpunt van Zuid-Amerika, laat de situatie van 75 jaar geleden zien.

Die enorme ijsvlakte is nu verdwenen.

UPSALA-GLETSJER, 2004

Overal in de Alpen speelt zich hetzelfde proces af. Hier een oude ansichtkaart uit Zwitserland van een schilderachtige gletsjer begin vorige eeuw.

Zo ziet dezelfde plek er nu uit.

TSCHIERVA-GLETSJER, ZWITSERLAND, 1910

TSCHIERVA-GLETSJER, 2001

Hieronder het beroemde Hotel Belvedere, gelegen bij de Rhône-gletsjer in Zwitserland.

Hier dezelfde locatie, bijna een eeuw later. Het hotel staat er nog, de gletsjer is er niet meer.

HOTEL BELVEDERE, RHONE-GLETSJER, ZWITSERLAND, 1906

HOTEL BELVEDERE, RHONE-GLETSJER, 2003

Dit is de Roseg-gletsjer in 1949

Dezelfde gletsjer in 2003

ROSEG-GLETSJER, ZWITSERLAND, 1949

ROSEG-GLETSJER, 2003

Een beeld van de Italiaanse Alpen, amper een eeuw geleden.

Het landschap ziet er nu heel anders uit.

ADAMELLO-GLETSJER, TRENTINO, ITALIË 1880

ADAMELLO-GLETSJER, 2003

Tot de gletsjers die het meest door de opwarming zijn aangetast behoren die van de Himalaya op het Tibetaans Plateau. Hier ligt honderd keer meer ijs opgeslagen dan in de Alpen. Deze voorraad levert voor veertig procent van de wereldbevolking ruim de helft van het drinkwater. Dat water wordt aangevoerd door de zeven Aziatische rivieren die op dit plateau ontspringen.

Binnen de komende vijftig jaar kan die veertig procent van de wereldbevolking te maken krijgen met een ernstig tekort aan drinkwater, tenzij krachtig actie wordt ondernomen om de opwarming te matigen.

Indus

GLETSJERS VAN DE HIMALAYA

Gele Rivier

Yangtze

Mekong

Salween

Brahmaputra

Ganges

Wetenschapper Lonnie Thompson reist met zijn team de hele wereld over naar gletsjers om boringen te verrichten. Ze verzamelen daarbij lange boorkernen, cilinders van het ijs dat jaar na jaar gedurende vele eeuwen werd gevormd.

KAMP VAN HET OHIO STATE UNIVERSITY
TEAM VAN THOMPSON, BONA
CHURCHILL COL, ALASKA, 2002

LINKS: HET TEAM VAN THOMPSON BEZIG MET IJSBORINGEN, HUASCARÀN, PERU, 1993. RECHTS: EEN ONDERZOEKER VAN HET TEAM, KILIMANJARO, TANZANIA, 2000

Lonnie Thompson en zijn team van experts onderzoeken kleine luchtbelletjes die in de ijskernen voorkomen – lucht die door de vallende sneeuw werd ingesloten. Door analyse van de luchtbelletjes komen ze erachter hoeveel CO_2 er elk jaar in de atmosfeer zat. Ook zijn ze in staat exact te zeggen welke temperatuur de atmosfeer in een bepaald jaar had. Deze is namelijk af te leiden uit de verhouding waarin in de luchtbelletjes verschillende zuurstofisotopen (zuurstof-16 en zuurstof-18) worden gevonden. Die methode werkt als een ingenieuze en zeer betrouwbare thermometer.

Het team kan nu steeds een jaar teruggaan in de tijd door – zoals een ervaren boswachter de jaarringen van bomen kan 'lezen' – te kijken naar de heldere scheidslijnen waarmee steeds het ijs van het ene jaar van dat van het voorgaande jaar gescheiden wordt.

De 'thermometer' rechts laat veranderingen zien in de temperatuur op het noordelijk halfrond, beginnend (onderaan in de figuur) met duizend jaar geleden en eindigend (bovenaan) in de huidige tijd. Het gaat om afwijkingen (rood: warmer; blauw: kouder, in °C) ten opzichte van de gemiddelde temperatuur in de periode 1961-1990.

TEMPERATUUR OP HET NOORDELIJK HALFROND IN DE AFGELOPEN DUIZEND JAAR

JAARLIJKSE IJSLAGEN IN DE QEULCCAYA IJSKAP, PERU, 1977

Er blijkt een opvallend verband te bestaan tussen de temperaturen en CO_2-concentraties in de afgelopen duizend jaar.

Toch beweren sceptische klimaatcritici vaak dat de opwarming van de aarde gewoon hoort bij natuurlijke cyclische fluctuaties. Ze onderbouwen dit door te wijzen op een warme periode die zich in de Middeleeuwen voordeed.

Thompsons thermometer laat echter zien dat die periode (het derde rode piekje op de tijdschaal) in het niet zinkt bij de enorme temperatuurstijging van de laatste vijftig jaar (de rode pieken uiterst rechts op de schaal).

AFWIJKINGEN (IN °C) VAN DE TEMPERATUREN OP HET NOORDELIJK HALFROND (DUIZEND JAAR GELEDEN TOT NU) TEN OPZICHTE VAN DE GEMIDDELDE TEMPERATUUR IN DE PERIODE 1961-1990 (ROOD: WARMER; BLAUW: KOUDER).

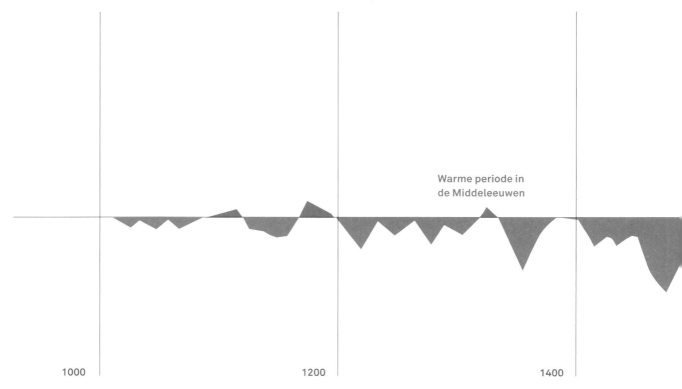

Warme periode in de Middeleeuwen

1000   1200   1400

Jaar

De klimaatcritici – een groep die bijna net zo snel slinkt als de gletsjers – hebben ook een felle aanval geopend op de resultaten van een ander onderzoek dat een verband heeft aangetoond tussen CO_2-concentraties en de temperatuur van de afgelopen duizend jaar. Het betrof de grafiek van klimaatwetenschapper Michael Mann en zijn collega's die bekendheid verwierf als 'de hockeystick'. Toch zijn wetenschappers langs verschillende wegen tot dezelfde conclusies gekomen. Thompsons analyse van de ijskernen is daarbij een van de doorslaggevendste.

GLACIOLOOG MET EEN IJSKERN, ANTARCTICA, 1993

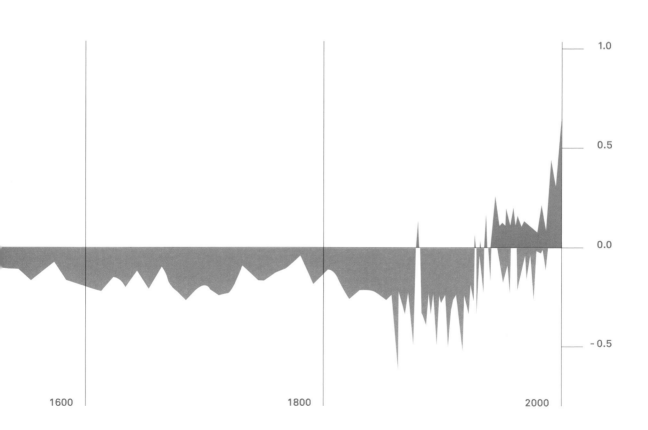

1600 1800 2000

1.0

0.5

0.0

- 0.5

BRON: IPCC

Voor Antarctica zijn nu meetgegevens beschikbaar die tot 650.000 jaar teruggaan in de tijd.

De blauwe lijn hieronder toont het verloop van de CO_2-concentraties in die periode.

Rechtsboven komt deze lijn uit op het huidige CO_2-niveau. Als je vanuit dit punt naar links gaat, kom je een eerste 'dal' tegen: de laatste ijstijd. Verder naar links kom je zo ook de voorlaatste ijstijd tegen en een aantal ijstijden die daaraan voorafgingen. Daartussenin liggen perioden waarin de aarde weer warmer werd.

Nergens in deze periode van 650.000 jaar, voorafgaand aan de industrialisatie, kwam de CO_2-concentratie boven de 300 ppm.

De grijze lijn toont de temperaturen op aarde in dezelfde periode van 650.000 jaar.

Het is belangrijk om nu nog eens terug te denken aan die klasgenoot van mij, de jongen met die vraag over Zuid-Amerika en Afrika. Als hij deze plaatjes zou zien, zou hij vragen of ze ooit in elkaar hebben gepast...

Het antwoord van wetenschappers zou zijn: 'Jazeker!'

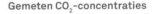

Gemeten CO_2-concentraties

Temperatuur

600.000   500.000

BRON: *SCIENCE*

den ik weet niet hoe vaak herbeleefd, terwijl ik weer mijn kind zag, omhoog geslingerd en buiten mijn bereik, terwijl ik mijn hand samenkneep in een zinloze poging om de hand nog vast te houden die me al ontglipt was.

Ik geloof dat we die dag vergezeld werden door engelen. Twee verpleegsters van het Johns Hopkins Hospital waren op hun vrije dag ook naar de wedstrijd gegaan en hadden – je weet maar nooit – hun ehbo-tas meegenomen. Toen ik, hardop biddend, bij mijn zoon neerknielde, verschenen ze aan zijn zijde en

verzorgden hem kundig tot de ambulance kwam.

Het wachten op die verlossende sirene waren de kwellendste zes minuten van mijn leven. Tipper en ik zaten geknield bij hem, hielden hem vast, praatten tegen hem en baden. Ik had me nooit zo wanhopig en hulpeloos gevoeld.

Albert overleefde het ongeluk dankzij die verpleegsters en het nabijgelegen Johns Hopkins Hospital, waar hij snel naartoe werd gereden. Hij had een hersenschudding opgelopen, een gebroken sleutelbeen, gebroken ribben en een ge-

compliceerde dijbeenbreuk. Ook had hij grote interne verwondingen, waaronder een gescheurde milt (die de dag daarop grotendeels verwijderd moest worden), een gekneusde long en alvleesklier en een beschadigde nier. Het schuiven over het beton had hem tweedegraads brandwonden bezorgd. Ten slotte was een grote zenuwbundel beschadigd die van het ruggenmerg via de schouder naar de arm loopt. Albert kon daardoor zijn rechterarm bijna een heel jaar niet gebruiken.

Een maand lang woonden Tipper en ik zo'n beetje in het ziekenhuis tot Albert

– van top tot teen in het gips – gelukkig weer thuiskwam. Hij herstelde na maanden revalideren, ook dankzij onze drie dochters die ons voortdurend hielpen (zelfs door om de beurt 's nachts Albert van zijn ene zij op de andere te leggen). Binnen een jaar was hij volledig hersteld en helemaal op krachten.

Ik vertel dit verhaal omdat het een keerpunt was dat me op een manier veranderde die ik niet voor mogelijk had gehouden. Het is moeilijk onder woorden te brengen hoe deze pijnlijke gebeurtenis verbonden is met het nieuwe inzicht dat ik kreeg in wat werkelijk belangrijk is, maar het gevoel zit nu diep vanbinnen, voor altijd. Alle ogenschijnlijk zo belangrijke zaken, waarmee mijn agenda overladen was, bleken ineens onbetekenend te zijn. Ik werd me bewust van de trivialiteit van gebeurtenissen die een maand eerder nog heel gewichtig hadden geleken. Ik ging mijn leven met andere ogen bekijken. Ik stelde mezelf de vraag hoe ik mijn leven op aarde werkelijk wilde besteden. Waar draait het werkelijk om in het leven?

Ik beantwoordde die vraag door in de eerste plaats tijd vrij te maken voor mijn vrouw en kinderen, voor elk van hen afzonderlijk en voor ons gezin als geheel. Ik zette al het andere in mijn rooster en dagelijkse routine op een tweede plaats, zodat ik in de eerste plaats ruim de tijd en echte aandacht voor ze had.

Ik bezon me ook op mijn werk voor de publieke zaak. Wat betekende het nu echt om de samenleving te díenen?

Het milieu was jarenlang een voornaam beleidspunt van me geweest, maar het had moeten concurreren met vele andere onderwerpen. Nu, bij deze fundamentele bezinning op mijn activiteiten, stak het mondiale milieu als punt van zorg boven alle andere zaken uit. Ik besefte dat dit de ernstigste crisis was die dreigde. Vooral voor dit onderwerp zou ik me moeten inzetten. In de tijd dat Albert herstelde begon ik met het schrijven van mijn eer-

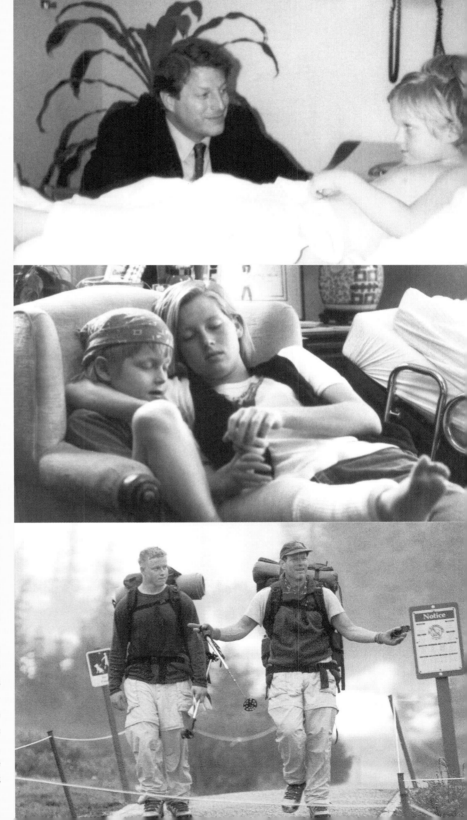

LINKS: *Al en Albert, Carthage, TN, 1990*
LINKSONDER: *Scheren, samen met Albert, 1984*

RECHTSBOVEN: *Al aan het bed van Albert, Johns Hopkins Hospital, Baltimore, Maryland, 1989;*
MIDDEN: *Albert en zus Karenna thuis in Virginia, 1989;* RECHTSONDER: *Al en Albert na het beklimmen van de top van Mount Rainier, Washington, 1999*

ste boek: *Earth in the Balance*. In die tijd stelde ik ook de eerste versie van mijn diaserie samen. Die diende niet alleen om te waarschuwen voor de rampzalige spiraal waaraan we allemaal, al dan niet bewust, bijdragen. Op die manier zette ik ook mijn eigen prioriteiten op een rijtje.

Ik zou er alles voor over hebben om die bewuste dag, lang geleden, over te doen. Om met onze handen ineen, als waren ze aan elkaar geklonken, over straat te lopen, om die wedstrijd helemaal te laten zitten. Onmogelijk. Ik ben dankbaar voor het herstel dat hem en onze familie is gegund. Een kind handelt impulsief en soms zo plotseling dat ouders machteloos staan. Soms gebeurt dan het ergst denkbare. We hadden die middag het geluk daarvoor gespaard te blijven. We zijn gezegend met onze vier geweldige kinderen die gezond zijn opgegroeid en volwassen zijn geworden. En we hebben inmiddels leuke kleinkinderen.

Toch geloof ik dat ik meer kreeg dan een tweede kans. Het verplichtte me om aandacht te besteden aan wat echt belangrijk is en bij te dragen aan de bescherming daarvan. In deze gevaarlijke tijd wil ik al het mogelijke doen om ons het kostbaarste op Gods prachtige aarde, de leefbaarheid van de planeet voor onze kinderen en toekomstige generaties niet te laten ontglippen.

In deze grafiek staan de werkelijk gemeten temperaturen op aarde sinds 1860. Soms lijkt de gemiddelde temperatuur te dalen, maar de algehele trend is erg duidelijk. En in de afgelopen jaren is de temperatuur steeds sneller gestegen.

Het is zelfs zo dat 20 van de 21 heetste jaren zich voordeden in de afgelopen 25 jaar.

MONDIALE TEMPERATUUR SINDS 1860: GECOMBINEERDE LAND-, LUCHT- EN ZEE-OPPERVLAKTE-TEMPERATUREN VAN 1860 TOT 2005

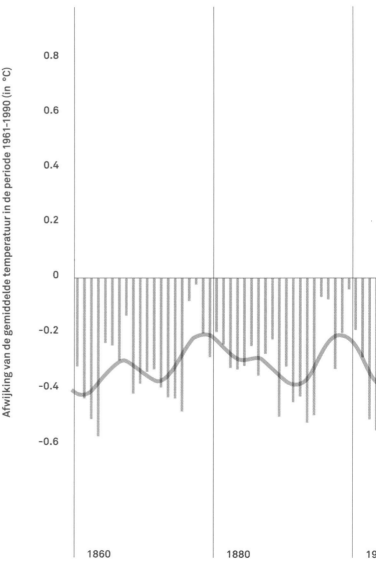

Het warmste jaar in deze gehele periode was 2005.

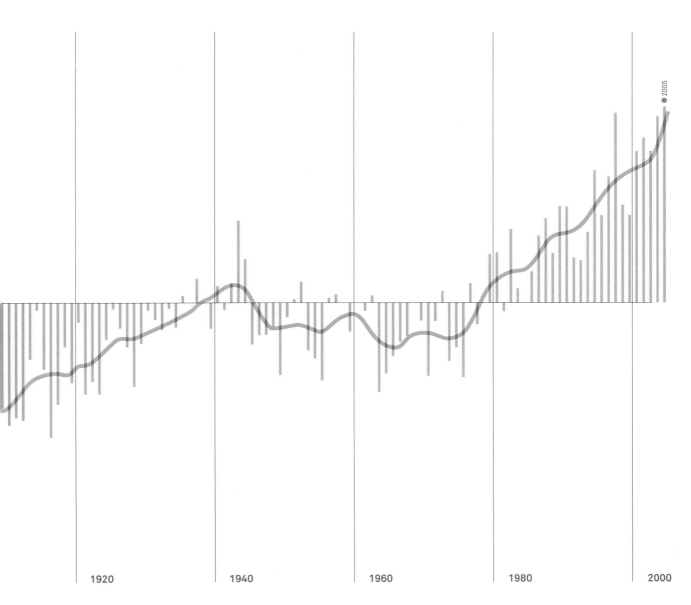

1920 1940 1960 1980 2000

BRON: IPCC

We hebben al iets gezien van de hitte-golven die zich volgens wetenschappers steeds vaker zullen aandienen als de opwarming van de aarde niet wordt aan-gepakt. In de zomer van 2003 werd Europa getroffen door een enorme hitte-golf die 35.000 mensen het leven kostte.

HITTEGOLF IN DE DIERENTUIN VAN MÜNCHEN, DUITSLAND, 2003

In de zomer van 2005 werden in het westen van de vs hitterecords gebroken. In meer dan 200 steden werden de hoogste temperaturen ooit en de meeste opeenvolgende dagen met temperaturen van 38°C of meer gemeten.

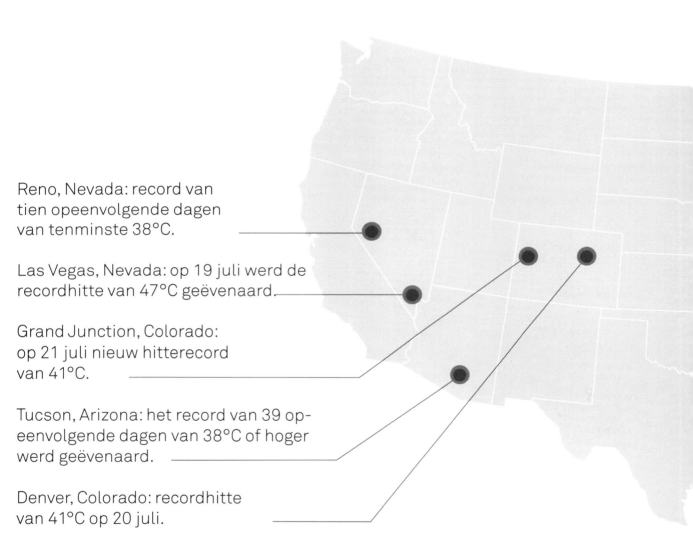

Reno, Nevada: record van tien opeenvolgende dagen van tenminste 38°C.

Las Vegas, Nevada: op 19 juli werd de recordhitte van 47°C geëvenaard.

Grand Junction, Colorado: op 21 juli nieuw hitterecord van 41°C.

Tucson, Arizona: het record van 39 opeenvolgende dagen van 38°C of hoger werd geëvenaard.

Denver, Colorado: recordhitte van 41°C op 20 juli.

Ook in het oosten van de vs werden temperatuurrecords gevestigd, onder andere in New Orleans...

La Crosse, Wisconsin: een dagrecord op 23 juni: 37°C.

Newark, New Jersey, op 27 juli een nieuw dagrecord van 38°C.

Raleigh-Durham, North Carolina: op 26 juli bereikte de thermometer 38°C.

Florence, South Carolina: op 26 juli 2005, 38°C.

Louis Armstrong Airport in New Orleans, Lousiana: 37°C op 25 juli.

Deze temperatuurstijgingen doen zich overal ter wereld voor, ook in de oceanen.

Veel mensen zeggen dat het slechts om natuurlijke variaties gaat: 'Het gaat altijd op en neer, dus waarom zouden we ons zorgen maken?'

Het is waar dat er sprake is van temperatuurschommelingen, ook in de oceanen. De blauwe lijn op de figuur hiernaast laat zien wat de normale schommeling was in de watertemperatuur in de oceaan in de afgelopen zestig jaar.

Klimaatwetenschappers gebruiken echter steeds nauwkeuriger computermodellen. Ze voorspelden lang geleden al dat die schommelingen zich op een hoger niveau zouden gaan afspelen als gevolg van opwarming van de aarde. De grafiek hiernaast geeft de voorspelde veranderingen weer met de brede groene band: ongeveer halverwege de jaren zeventig treedt er een verschil op tussen die band en die die de verwachte natuurlijke variatie aangeeft.

Maar wat waren nu de *echte* oceaantemperaturen?

VOORSPELDE EN GEMETEN OCEAANWATERTEMPERATUREN (BOVENLAAG), 1940-2004

- Voorspelde natuurlijke variatie
- Verwachte variatie door toedoen van de mens
- Gemeten oceaanwatertemperaturen

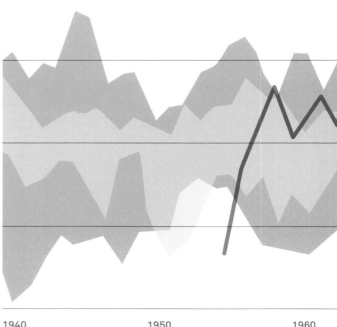

1940   1950   1960

De rode lijn in de grafiek is nieuw. Dit is het werkelijke verloop van water-temperaturen in de oceaan. Deze lijn is nauwgezet geconstrueerd op basis van nauwkeurige decennialange metingen over de hele wereld.

Conclusie: de werkelijkheid volgt precies de voorspelling. De gemeten tempera-turen liggen ver boven waarden die nog binnen de natuurlijke variatie zouden vallen.

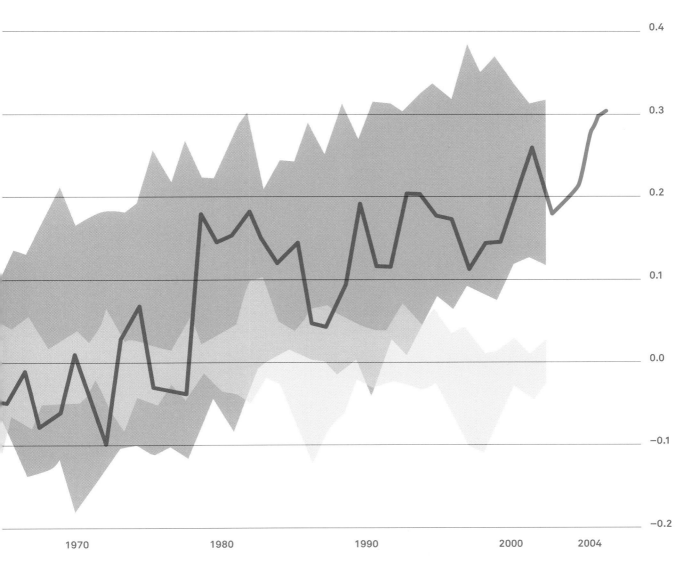

Wanneer oceanen opwarmen,
worden de stormen heviger.
In 2004 werd Florida getroffen
door vier ongebruikelijk
krachtige orkanen.

ORKAAN JEANNE, FLORIDA,
SEPTEMBER 2004

Steeds meer wetenschappelijk onderzoek bevestigt dat door de opwarming
van de toplaag van het oceaanwater de
stijgingsenergie groter wordt waardoor
orkanen steeds krachtiger worden.

Er is minder overeenstemming over het
verband tussen het jaarlijkse aantal
orkanen en de opwarming van de aarde.
Er bestaat namelijk een natuurlijk patroon dat enkele tientallen jaren omvat
en dat de frequentie van orkanen sterk
beïnvloedt. De wetenschap raakt echter
wel steeds meer overtuigd van een verband tussen de opwarming van de aarde
en de toename van duur én kracht van
orkanen.

Door zeer recent bewijs denken sommige wetenschappers nu dat de opwarming leidt tot veel meer orkanen dan
verklaard kan worden door de natuurlijke langetermijnvariabiliteit.

Terwijl de vs in 2004 werd geteisterd door verscheidene grote orkanen, kreeg het weer in Japan in de westerse media minder aandacht.

Toch kreeg Japan meer tyfoons dan ooit te verduren. Stond het vorige record op zeven, in 2004 waren het er tien. Tyfonen, orkanen en cyclonen zijn vergelijkbare weerfenomenen, afhankelijk van de oceaan waarboven ze ontstaan. In het voorjaar van 2006 werd Australië getroffen door meerdere, ongewoon krachtige cyclonen van de vijfde categorie. De cycloon Monica, die zich voor de kust voordeed, was de krachtigste ooit gemeten – sterker dan de orkanen Katrina, Rita of Wilma.

TYFOON MAMTHEUN, VOOR DE
KUST VAN JAPAN, JULI 2004

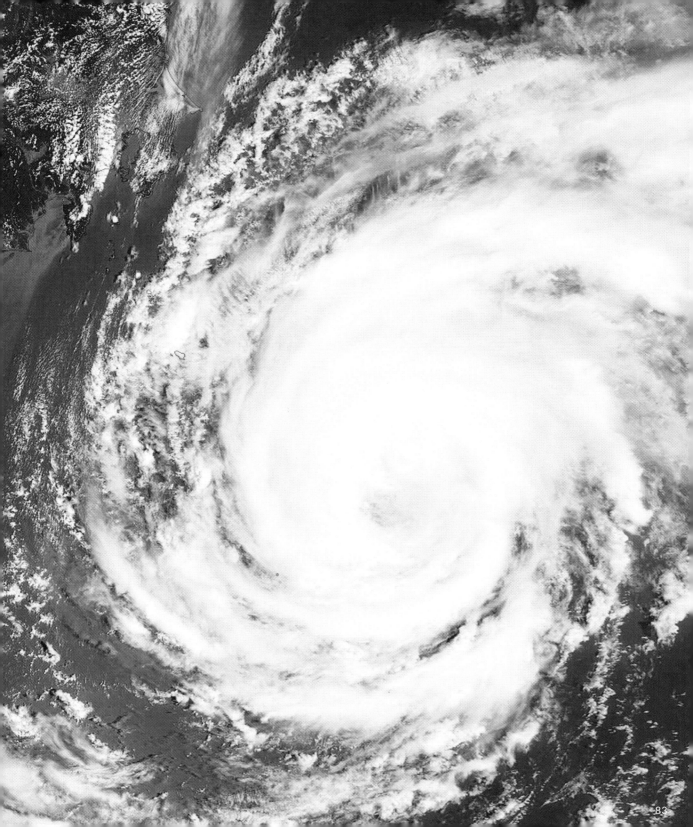

In 2004 moesten de wetenschappelijke werken herschreven worden. Daarin stond nog dat in het zuidelijke deel van de Atlantische Oceaan geen orkanen konden voorkomen. Dat jaar echter werd Brazilië voor het eerst in de geschiedenis door een orkaan getroffen.

ORKAAN CATARINA, BRAZILIË,
MAART 2004

BRAZILIË

2004 was ook het jaar waarin in de VS alle tornadorecords gebroken werden.

Het jaar 2004 werd direct overtroefd door de zomer van 2005. Vroeg in het seizoen troffen diverse orkanen het Caribische Gebied en de Golf van Mexico, onder andere de orkanen Dennis en Emily die een aanzienlijke schade aanrichtten.

SCHADE ALS GEVOLG VAN DE
ORKAAN EMILY, LA PESCA,
MEXICO, JULI 2005

De groeiende overeenstemming over het verband tussen de opwarming van de aarde en de groeiende destructieve kracht van orkanen is mede gebaseerd op onderzoek dat een significante toename aantoont van het aantal orkanen van de vierde en vijfde categorie.

Een andere studie voorspelt dat de kracht van de gemiddelde orkaan met een halve stap zal toenemen op de bekende schaal van vijf.

De National Oceanic and Atmospheric Administration vatte een aantal gemeenschappelijke elementen uit nieuwe onderzoeken samen in de onderstaande grafiek.

Als de watertemperaturen stijgen, nemen windsnelheden toe en ook het vochtgehalte van stormen.

ORKANEN GROEIEN IN INTENSITEIT BIJ OPWARMING VAN DE OCEANEN

———— Watertemperatuur

———— Windsnelheid als gevolg van grotere ongelijkheid in watertemperaturen

———— Vochtgehalte van de storm

Hieronder een foto van het grootste olie-platform ter wereld, het Thunder Horse-platform van BP, op 240 kilometer ten zuidwesten van New Orleans. Zo zag het eruit nadat orkaan Dennis op 11 juli 2005 in de Golf had huisgehouden. In april 2006 lag de olieproductie in de Golf nog altijd voor een derde deel stil, ook bij Thunder Horse.

HET BESCHADIGDE THUNDER HORSE-OLIEPLATFORM, VOOR DE GOLF VAN MEXICO, LOUISIANA, JULI 2005

Dit 13.000 ton zware olieplatform kwam
later in het orkaanseizoen bij Mobile,
Alabama, onder een brug terecht.

**HET OLIEPLATFORM BEKNELD
ONDER DE COCHRANE BRIDGE,
MOBILE, ALABAMA, AUGUSTUS 2005**

Op 31 juli 2005, nog geen maand voordat Katrina de kust van de VS zou treffen, publiceerde het Massachusetts Institute of Technology (MIT) een rapport dat steun gaf aan de wetenschappelijke consensus dat door opwarming van de aarde orkanen krachtiger en verwoestender worden.

DE GROTE STORMEN D
DE STILLE EN DE ATLA
HEBBEN SINDS DE JA
VIJFTIG PROCENT AAN
INTENSITEIT GEWONN

MIT-STUDIE, 2005

IE RONDRAZEN IN
NTISCHE OCEAAN,
REN ZEVENTIG
LEVENSDUUR EN
EN.

En toen kwam Katrina. Het was nog maar een storm van categorie 1 toen deze orkaan, op weg naar de Golf van Mexico, in de ochtend van 26 augustus 2005 Florida bereikte. Toch eiste ze daar al een aantal mensenlevens en richtte ze voor miljarden dollars schade aan.

Daarna stak de orkaan het ongebruikelijk warme water van de Golf van Mexico over. Tegen de tijd dat Katrina New Orleans trof, was het een zware en vernietigende storm.

OPEENVOLGENDE SATELLIETBEELDEN VAN ORKAAN KATRINA BOVEN HET ZUIDEN VAN DE VS, SEPTEMBER 2005

De gevolgen waren afgrijselijk en met geen pen te beschrijven

EVACUÉS VAN ORKAAN KATRINA
IN HET ASTRODOME, HOUSTON,
TEXAS, SEPTEMBER 2005

DE LOWER NINTH WIJK, NEW
ORLEANS, FEBRUARI 2006

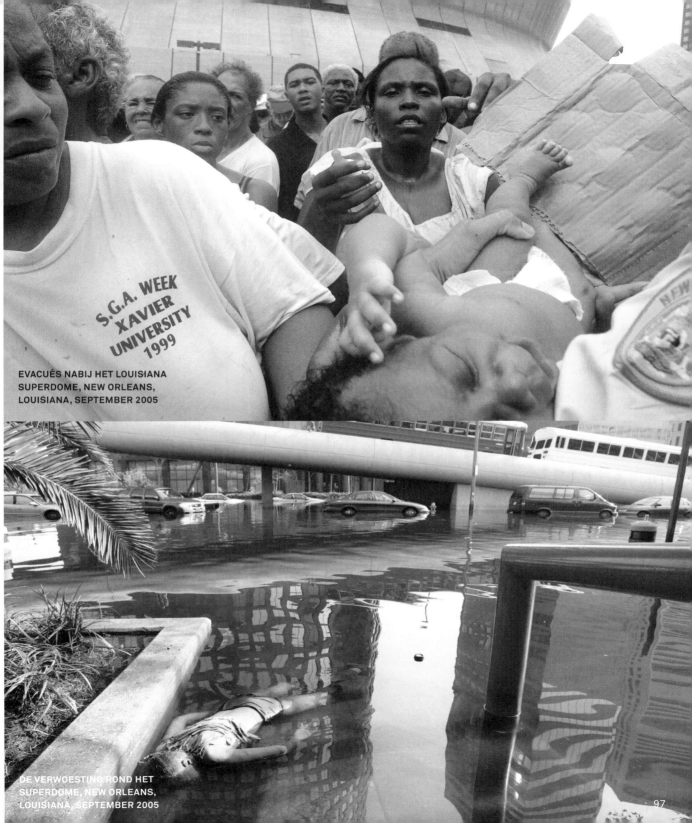

EVACUÉS NABIJ HET LOUISIANA
SUPERDOME, NEW ORLEANS,
LOUISIANA, SEPTEMBER 2005

DE VERWOESTING ROND HET
SUPERDOME, NEW ORLEANS,
LOUISIANA, SEPTEMBER 2005

NEW ORLEANS, LOUISIANA,
SEPTEMBER 2005

In de jaren dertig woedde er in Europa een heel ander soort storm, een verschrikkelijke, niet eerder vertoonde storm. Winston Churchill waarschuwde het Engelse volk: dit was anders dan alles wat zich daarvoor in de geschiedenis had afgespeeld, en hij zei dat ze zich hierop moesten voorbereiden. Velen wilden hem niet geloven en hun aarzeling maakte hem ongeduldig. Dit is wat hij zei:

'DE TIJD VAN DRALEN, LEN, SUSSENDE WOOR EN UITSTEL KOMT TEN HET TIJDPERK BINNEN DAARVAN.'

WINSTON CHURCHILL, 1936

HALVE MAATREGE-DEN, LAPMIDDELEN EINDE. WIJ GAAN NU VAN DE GEVOLGEN

DE VERZEKERINGSBRANCHE

De verzekeringsbranche ondervindt reeds het onmiskenbare economische effect van klimaatverandering. In de laatste drie decennia hebben zij hun uitkeringen aan slachtoffers van extreme weersomstandigheden zien vervijftienvoudigen. De oorzaken: orkanen, overstromingen, droogte, tornado's, bosbranden en andere natuurrampen. In veel gevallen kan een verband worden aangetoond met klimaatverandering. De effecten van deze natuurrampen kunnen in zowel economisch als persoonlijk opzicht verwoestend zijn. Alleen al de orkaan Katrina veroorzaakte circa zestig miljard dollar aan verzekerde verliezen.

Sommige verzekeraars hebben de trend onderkend en een *task force* opgezet om het mogelijke effect van klimaatverandering op hun bedrijfstak te analyseren. Er staat meer op het spel dan de financiële gezondheid van verzekeraars of de vraag of mensen de stijgende premies nog wel kunnen betalen. Het effect zal zich vrijwel zeker uitstrekken tot buiten de grootboeken van de verzekeringsbedrijven: veel pensioenfondsen en beleggingsmaatschappijen zijn kwetsbaar, omdat ze verzekeringsmaatschappijen in hun pakket hebben.

Verzekeraars baseren hun premies, het bedrag dat je betaalt om je tegen rampen te beschermen, op de kans dat zich volgens hun berekeningen een bijzondere omstandigheid voordoet. Wanneer – zoals nu al het geval lijkt te zijn – extreme weersomstandigheden afwijken van de voorspelbare historische patronen, kunnen de bedrijven het risico en daarmee

hun mogelijke verliezen, niet meer goed inschatten. De enige manier om dan als bedrijf te overleven is de premies voor alle verzekerden verhogen of de verzekering in gebieden met een hoog risico niet meer aanbieden. Denk in dit verband aan Florida en de kust van de Golf van Mexico, waar zich zomer na zomer steeds vernietigender weersomstandigheden aandienen.

Zoals een *business leader* zei: 'Verzekeringsbedrijven zien de bui al hangen: toenemende schade, stijgende temperaturen op aarde en een record aantal mensen dat tegenwoordig in kwetsbare gebieden woont.'

OMVANGRIJKE RAMPEN, VEROORZAAKT DOOR HET WEER EN OVERSTROMINGEN: SCHADE IN MILJARDEN DOLLARS

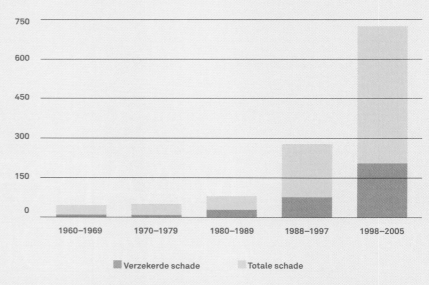

Verzekerde schade   Totale schade

BRON: MUNICH RE, SWISS RE, 2005, SIGMA-GEGEVENS VERZAMELD TOT 20/12/05

Slechts drie weken na Katrina deed een nieuwe orkaan van categorie, Rita, de vs aan, niet ver westelijk van de plek waar Katrina aan land was gekomen. Deze keer werden minder dicht bevolkte gebieden getroffen, al berokkende zij nog altijd verschrikkelijk veel schade en leed.

Weer een paar weken na Rita, groeide Wilma op zee uit tot de krachtigste orkaan ooit gemeten.

Ze reisde van het Mexicaanse schiereiland Yucatan naar Zuid-Florida en veroorzaakte enorme schade. Duizenden mensen zaten wekenlang zonder water en elektriciteit.

En toen gebeurde er iets unieks: we waren door onze namen heen. Voor het eerst hadden we in één jaar het hele alfabet afgewerkt. De World Meteorological Organisation week uit naar de letters van het Griekse alfabet om de orkanen en tropische stormen te benoemen die zich tot in december bleven aandienen – ver na het gewone orkaanseizoen.

GEVOLGEN VAN ORKAAN RITA, CAMERON,
LOUISIANA, SEPTEMBER 2005

Dit zijn ze
alle 27.

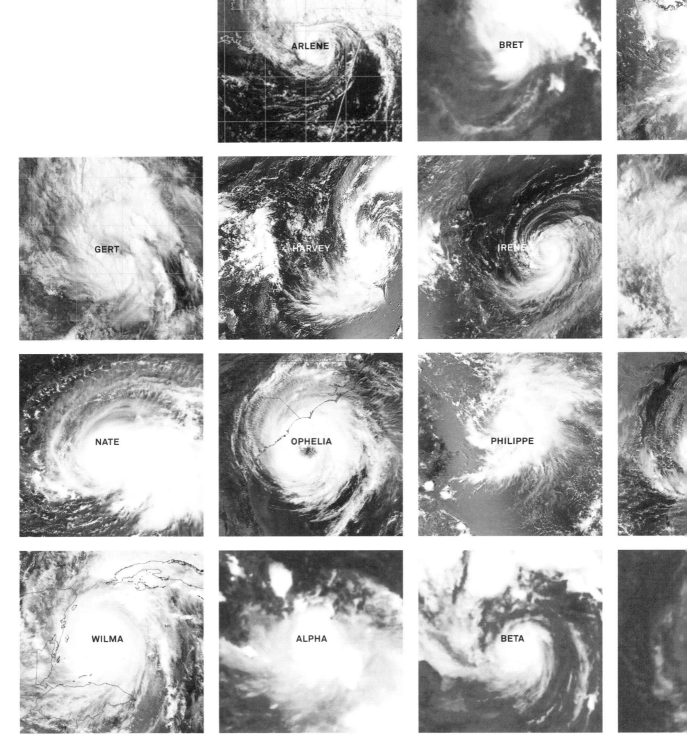

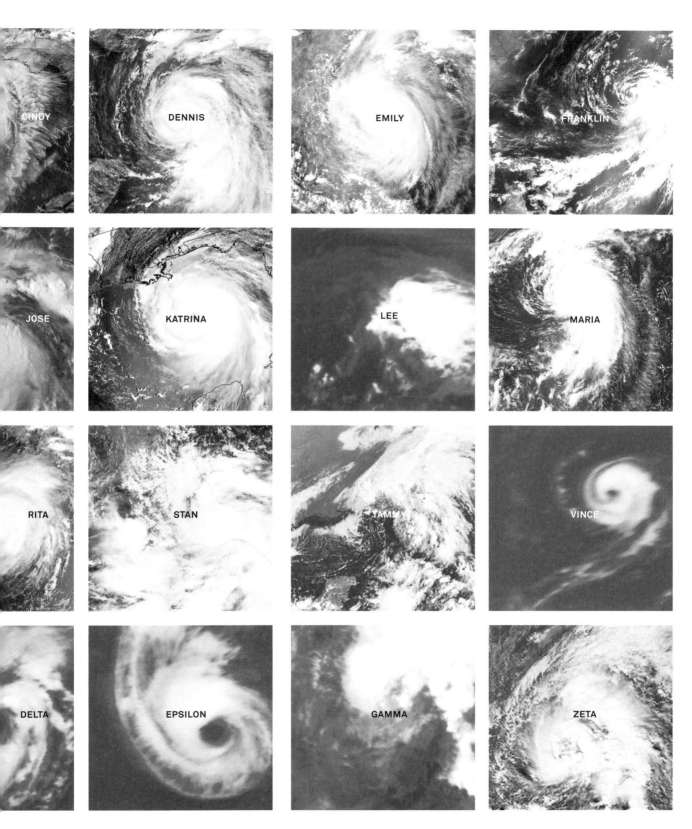

Warmer water verhoogt het vochtgehalte van stormen en warmere lucht houdt meer vocht vast. Wanneer het in een storm tot neerslag komt, valt deze in de vorm van een heftige stort- of sneeuwbui. Mede hierdoor is het aantal grote overstromingen in de laatste decennia op elk continent toegenomen.

In veel delen van de wereld valt door de opwarming een groter deel van de neerslag als regen in plaats van sneeuw. Gevolg: meer overstromingen in het voorjaar en de vroege zomer.

2005 was voor Europa een jaar met ongewone rampen, vergelijkbaar met die in de VS.

AANTAL GROTE OVERSTROMINGEN PER CONTINENT EN PER DECENNIUM

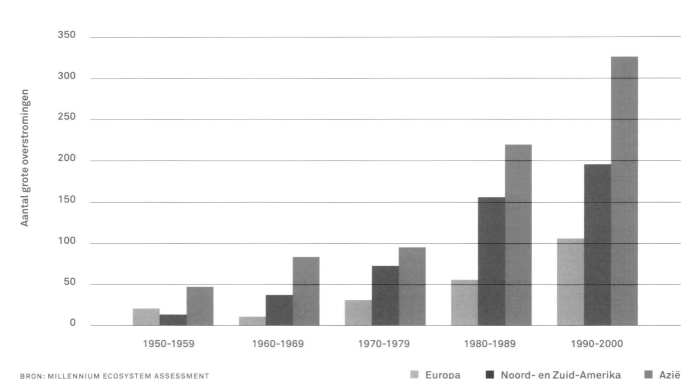

BRON: MILLENNIUM ECOSYSTEM ASSESSMENT

Europa   Noord- en Zuid-Amerika   Azië

Terwijl de vs zich in 2005 door een schijnbaar niet eerder vertoonde reeks orkanen
heenworstelde, beleefde Europa een de-
sastreus aantal overstromingen. United
Press International vatte de gevoelens
van veel Europeanen op 26 augustus
2005 aldus samen: 'De natuur in Europa
is gek aan het worden.'

**SCHADE DOOR OVERSTROMING, BRIENZ,
ZWITSERLAND, AUGUSTUS 2005**

OVERSTROOMDE SCHWEIZERHOF
QUAI, LUZERN, ZWITSERLAND,
AUGUSTUS 2005

Het was bijna als een natuurwandeling door het bijbelboek Openbaring.

Ook Azië heeft met veel meer overstromingen te maken gekregen. In juli
2005 viel er in het Indiase Mumbai in 24
uur 940 millimeter regen. Het was verreweg de grootste hoeveelheid neerslag die
ooit in een dag in een Indiase stad gevallen is. Het water kwam ruim twee meter
hoog te staan. Er vielen duizend doden.
Deze foto is genomen tijdens het spitsuur, de volgende dag.

**FORENSEN NA DE
STORTREGENS, MUMBAI, INDIA,
JULI 2005**

Ook China kampte met recordoverstromingen – en als een van de oudste beschavingen heeft dit land op dit gebied een van de beste archieven ter wereld.

Zo waren er recentelijk enorme overstromingen in de provincies Sichuan en Shandong. Vreemd genoeg leidt de opwarming niet alleen tot meer overstromingen, maar ook tot grotere droogte. De nabijgelegen provincie Anhui ging gebukt onder aanhoudende droogte, terwijl omliggende gebieden blank stonden.

Een van de redenen voor deze tegenstelling is dat de klimaatverandering de hoeveelheid neerslag wereldwijd doet toenemen maar tegelijkertijd een deel van die neerslag naar elders verplaatst.

OVERSTROMING IN DE PROVINCIE
SHANGDONG, CHINA, JUNI 2005

DROOGTE IN DE PROVINCIE
ANHUI, CHINA, JUNI 2005

113

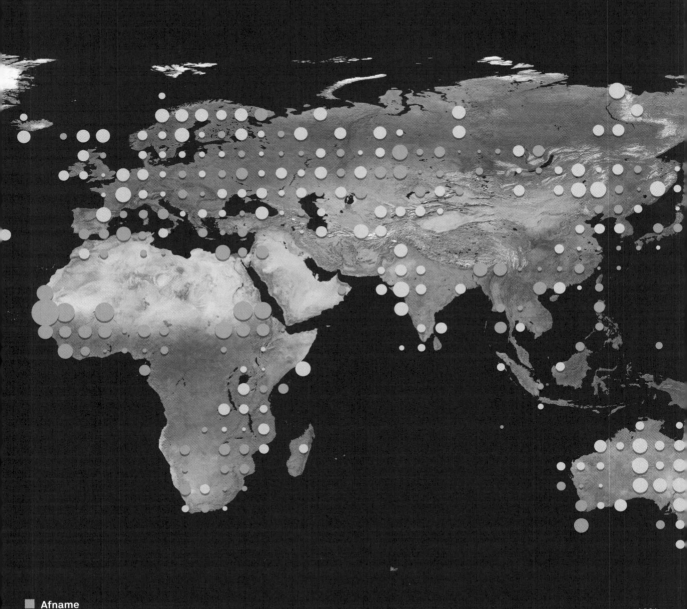

Deze illustratie laat zien dat in de afgelopen eeuw de hoeveelheid neerslag in totaal met bijna twintig procent is toegenomen.

De effecten van klimaatverandering op de hoeveelheid neerslag zijn echter niet overal gelijk. In sommige streken neemt die zelfs af.

Afname
in de hoeveelheid neerslag

Toename
in de hoeveelheid neerslag

-50%   -40%   -30%   -20%   -10%

De blauwe stippen markeren gebieden met meer neerslag: hoe groter de stip, hoe groter de toename. De oranje stippen markeren de gebieden met een afname (hoe groter de stip, hoe groter de afname).

Zo'n grote verschuiving kan een vernietigende uitwerking hebben. Kijk bijvoorbeeld naar het deel van Afrika aan de rand van de Sahara.

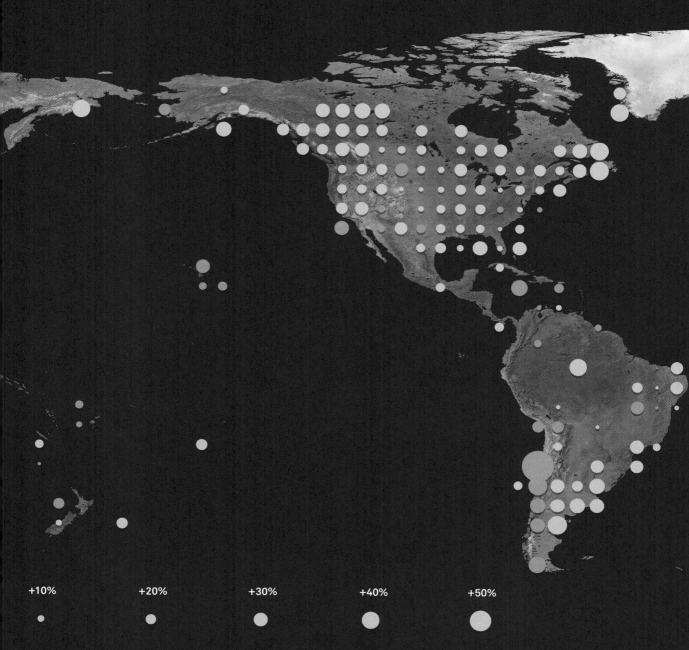

+10%   +20%   +30%   +40%   +50%

BRON: IPCC

Er zijn ongelooflijke drama's gebeurd in het deel van Afrika, waarin onder meer Zuid-Soedan ligt, ten oosten van het Tsjaadmeer. De regio Darfur is telkens het toneel van genocide. In Niger, even ten westen van het Tsjaadmeer, heeft droogte in de gehele streek bijgedragen aan het voedselgebrek dat miljoenen mensen bedreigt.

De honger en genocide zijn het resultaat van een complex aan oorzaken. Een vrijwel onomstreden factor hierin is echter dat het Tsjaadmeer, voorheen het zesde grootste meer ter wereld, de afgelopen veertig jaar vrijwel verdwenen is.

HET TSJAADMEER, AFRIKA

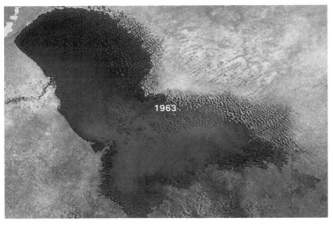

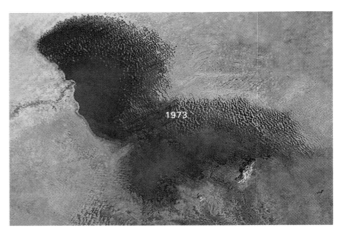

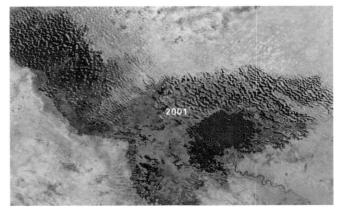

DE EFFECTEN VAN DE TELOORGANG VAN HET TSJAADMEER

Slechts veertig jaar geleden was het Tsjaadmeer een meer zo groot als Lake Erie (ongeveer 24 maal de oppervlakte van het IJsselmeer). Door verminderde regenval en steeds intensiever watergebruik door de mens is het echter gekrompen tot een twintigste van zijn oorspronkelijke grootte. Terwijl nu meer mensen dan ooit van het meer afhankelijk zijn, veroveren de zandduinen de droogvallende waterbodem. Het lot van dit meer is een triest symbool in een werelddeel waar klimaatverandering zich niet alleen vertaalt in stijgende temperaturen maar ook in doden. De visserij is ingestort, oogsten mislukken, miljoenen mensen zijn ontheemd geraakt en nog meer miljoenen zijn in gevaar gebracht.

Toen het nog gevuld was, was het Tsjaadmeer het zesde meer ter wereld. Het grensde aan Tsjaad, Nigeria, Kameroen en Niger. Mensen waren afhankelijk van het water voor bevloeiing van akkers, voor de visvangst, hun vee en hun drinkwater. N'guigmi, een stad in Niger, werd ooit van drie zijden door het meer omringd, maar ligt nu bijna honderd kilometer van het water verwijderd. Vissersboten en watertaxi's zijn hier voorgoed aan de grond gelopen. Tsjaad en het Nigeriaanse Malafator troffen hetzelfde lot. Toen Nigeriaanse vissers het terugtrekkende water tot in Kameroen volgden, leidde dat tot militaire vuurgevechten en juridische twisten tussen de landen. Toen boeren de drooggevallen bodem van het meer in cultuur brachten, ontstond er strijd over eigendomsrechten.

Terwijl het Tsjaadmeer ineenschrompelde werd door perioden van enorme droogte de weg bereid voor een uitbarsting van geweld in het nabije Darfur, een door oorlog verscheurde regio van Soedan. Meer naar het noorden en het westen verliezen Marokko, Tunesië en Libië jaarlijks elk ongeveer een vierkante kilometer landbouwgrond aan de woestijn. In het zuiden, in Malawi, werden in 2005 vijf miljoen mensen door de hongerdood bedreigd, toen boeren op tijd zaaiden en plantten, maar de regen wegbleef. Veel Afrikanen zijn nog direct afhankelijk van wat ze zelf verbouwen. Als de oogst mislukt, loopt alles mis.

Deze problemen zullen waarschijnlijk verergeren. Wetenschappers hebben voorspeld dat veel Afrikaanse steden tegen het eind van de eeuw 25 procent minder rivierwater toegevoerd zullen krijgen. In zeer droge jaren zouden zo'n twintig miljoen mensen hun oogst kunnen zien mislukken.

De befaamde vruchtbare Okavango Delta in Botswana zou driekwart van z'n water kunnen verliezen, wat een bedreiging vormt voor een rijke natuur met 450 vogelsoorten, olifanten en roofdieren.

Het wild in Afrika trekt bezoekers van over de hele wereld en bij verlies van die attractie zal het toerisme, de belangrijkste economische motor in het gebied, stilvallen.

In de debatten die ontbranden over hulp bij hongersnoden wordt soms gezegd dat de inwoners van Afrika het probleem aan zich zelf te wijten hebben door corruptie en mismanagement.

SOEDANESE MOEDER MET HAAR KIND BIJ EEN VOEDSELDISTRIBUTIEPOST, KALMA, ZUID-DARFUR, 2005

Maar hoe meer we begrijpen van klimaatverandering, des te meer het erop lijkt dat wíj de echte schuldigen zijn. Zo is de VS verantwoordelijk voor circa 25 procent van de totale uitstoot van broeikasgassen – en heel Afrika slechts vijf procent. Zoals we broeikasgassen niet echt kunnen zien, zo zien we vaak evenmin wat zich ver van ons vandaan voltrekt als gevolg van die broeikasgassen.

Het is tijd om nietsontziend en eerlijk naar onze rol te kijken in deze escalerende ramp. Mede door ons toedoen is het lijden in Afrika ontstaan. We hebben de morele verplichting om te proberen dit te herstellen.

Een tweede reden voor de paradoxale effecten van de opwarming van de aarde is dat er meer water verdampt uit de oceanen, wat het vochtgehalte van de warmere atmosfeer verhoogt, terwijl op het land ook de bodem meer vocht aan de atmosfeer moet afstaan.

Mede daardoor is de verwoestijning in de afgelopen decennia toegenomen.

De grafiek rechts drukt de toename daarvan uit in vierkante kilometers per jaar. De meest recente cijfers zien er zelfs nog aanzienlijk slechter uit.

WEG MET OVERGEWAAID ZANDDUIN, NIJLVALLEI, EGYPTE, 1991

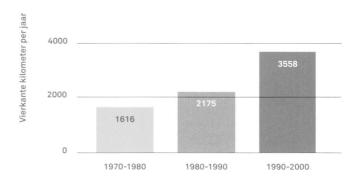

TOENAME VAN HET OPPERVLAKTE AAN WOESTIJNEN WERELDWIJD

Vierkante kilometer per jaar

4000

2000

0

1970-1980 — 1616
1980-1990 — 2175
1990-2000 — 3558

VOORSPELD VERLIES IN
BODEMVOCHTIGHEID BIJ CO_2-
VERDUBBELING

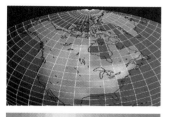

0 10 20 30 40 50 60
Procentueel verlies

VOORSPELD VERLIES IN BODEM-
VOCHTIGHEID BIJ CO_2-VERVIER-
VOUDIGING

0 10 20 30 40 50 60
Procentueel verlies

BRON: PRINCETON GFDL R15
KLIMAATMODEL; CO_2-EXPERIMENTEN

De hogere temperaturen in de vs zullen leiden tot een enorme toename van de verdamping van water uit de bodem.

De kaart links laat zien welk effect voor de bodemvochtigheid wordt voorzien bij een verdubbeling van de CO_2-concentratie, een niveau dat we in minder dan vijftig jaar bereiken als we op de huidige voet doorgaan. Volgens wetenschappers daalt de bodemvochtigheid in uitgestrekte landbouwgebieden dan fors, tot 35 procent. Drogere grond betekent meer droogte voor de gewassen, minder opbrengst en vaker voorkomen van branden. Als we niet snel handelen, schieten we zelfs door naar een verviervoudiging van het CO_2-niveau. In dat geval, vertelt de wetenschap ons, zal het grootste deel van de vs tot zestig procent van zijn bodemvochtigheid verliezen.

Hoe zouden we het politieke debat over zoiets onheilspellends moeten aankaarten binnen de traditionele kaders?

BOER OP EEN DOOR DROOGTE
AANGETASTE AKKER, WHARTON
COUNTY, TEXAS, 2005

Beton
en
boerenland

**Ik ademde, anders dan ooit
in de straten van Washington,
vrij en met volle teugen**

Voor ik naar de middelbare school ging had ik de ongewone ervaring dat elk jaar in tweeën was verdeeld en dat die periodes zich afspeelden in twee totaal verschillende landschappen. Omdat mijn vader als senator uit Tennessee in Washington werkte, woonde ons gezin acht maanden per jaar in een klein appartement: Fairfax Hotel, nr. 809.

Mijn zus Nancy, mijn ouders en ik deelden de badkamer tussen de slaapkamer van mijn ouders en die van mijn zus en mij. Verder bestond het appartement uit een kleine woonkamer en een eetkamer met een keukentje. De ramen gaven uitzicht op betonnen parkeerplaatsen en gebouwen.

De andere vier maanden van het jaar woonden we op een mooie, grote boerderij in Tennessee met dieren, veel zon en gras, prachtig gelegen in de bocht van de heldere, sprankelende Caney Fork rivier. Door telkens deze twee werelden voor elkaar te verruilen, kreeg ik – nu ik er op terugkijk – de kans ze te vergelijken. Niet zozeer intellectueel, maar juist emotioneel. Beide omgevingen veranderden in die jaren, elk op eigen wijze, maar de stad veranderde veel sneller dan het platteland rondom onze boerderij.

Ik begon de dagen op de boerderij steeds meer te koesteren. De beelden mogen als clichés overkomen, maar in dit

geval waren ze allemaal waar: het zachte gras, de weidse luchten, het geritsel van de bomen, het koele water van de meren. Ik ademde, anders dan ooit in de straten van Washington, vrij en met volle teugen.

Niet dat we ongelukkig waren in dat hotelappartement. We waren gelukkig, al woonden we er krap en afgesneden van de natuur.

Net zoals miljoenen gezinnen tegen-woordig stapte ik daar overheen. Ik was eraan gewend en beklaagde me er niet over dat we uitkeken op de straat, acht verdiepingen lager.

Als kleine jongen klom ik na schooltijd vaak met een vriendje via de brandladder naar het dak. We lieten plastic soldaatjes zakken aan draadjes om hun nek die we uit mijn moeders naaidoos haalden.

We probeerden ze te laten landen op de pet van de portier, die ze dan probeerde weg te slaan. Ook gooide ik met mijn vriendjes vanaf dezelfde gevaarlijke po-sitie waterballonnen op het dak van de auto's die voor het stoplicht wachtten op de kruising van 21st Street en Massachu-setts Avenue. Ik vond kortom manieren om plezier te maken, al zouden deze spel-letjes me – als ik mijn eigen ouder was geweest – zeker de stuipen op het lijf hebben gejaagd.

De boerderij zorgde altijd voor een heel

andere ervaring. Ik kon niet wáchten om er weer heen te gaan. Ik hield van de boerderij. Als kind liep ik vaak met mijn vader elke plek van het terrein langs, en ik leerde van hem om alles met aandacht te bekijken. Hij bracht me bij dat het een morele plicht is om het land goed te verzorgen, al drukte hij zich nooit in dat soort woorden uit.

Hij leerde me hoe ik het prille, nauwelijks zichtbare begin van een erosiegeul kon herkennen, het werk van wegstromend regenwater in de omgewoelde grond van geploegd land. Hij liet me zien hoe ik met stenen of takken het water van kleine stroompjes kon verdelen zodat ze niet nog meer aarde zouden wegslijpen. Hij legde uit dat de voren snel dieper worden, als het water zijn gang kon gaan. Daardoor zou het land verminkt raken en zou de vruchtbare bovenlaag wegspoelen.

Littekens van dergelijke processen kwamen in de jaren twintig en dertig van de vorige eeuw op veel plaatsen in Amerika voor. Het instinct van mijn vader om het land te beschermen en te herstellen werd nauwgezet aan me doorgegeven, met herhaalde aanwijzingen en weloverwogen woorden. Hij leerde me dat al jong, terwijl ik het hem allemaal zelf zag voordoen. Anders zou ik deze lessen misschien abstract en onbelangrijk hebben gevonden. Maar als ik nu met mijn kinderen en kleinkinderen rondloop op wat nu mijn boerderij is, leer ik hen hetzelfde. Tot mijn eigen verbazing hoor ik me dan precies dezelfde woorden gebruiken als die ik zelf hoorde toen ik vier, twaalf en twintig jaar oud was.

Van mijn vader leerde ik dat we de plicht hebben voor het land te zorgen, maar van mijn moeder hoorde ik voor het eerst iets over de kwetsbaarheid van de

aarde voor schade die de mens kan aanrichten. Toen ik veertien was las mijn moeder Silent Spring van Rachel Carson. Het maakte zo'n indruk op haar, dat ze erop stond elke avond na het eten, tien of twaalf avonden achtereen, hardop stukken uit dat boek voor te lezen. Mijn zus en ik zaten met haar aan de eettafel en luisterden. Een van de redenen waarom ik me dit zo goed herinner is dat het boek van Carson het enige boek was dat mijn moeder zo behandelde. Ze las altijd en las me veel voor toen ik klein was, maar stopte daarmee toen ik ouder werd. Dit bijzondere boek was de enige uitzondering. Ik ben dat nooit vergeten.

Silent Spring legde een verband tussen de basale les van rentmeesterschap die ik in mijn kindertijd had geleerd en een nieuwe les, namelijk dat de menselijke beschaving nu in staat was om het milieu ernstig te schaden op een manier die

tot dan toe gewoonweg onmogelijk was geweest. En het zou net zo dom zijn deze les te negeren als gewoon door te lopen bij het zien van een beginnende erosiegeul op onze boerderij in Tennessee.

Al die jaren heen en weer hebben moeten verhuizen tussen Washington en Carthage had zeker nadelen. Maar het heeft me ook een kijk op de natuur, op het milieu zo u wilt, opgeleverd waarmee ik me gelukkig prijs. Was ik alleen op de boerderij opgegroeid, dan had ik de natuur wellicht meer als een gegeven beschouwd. Maar doordat ik er aan het eind van elke zomer weer weg moest,

kwam ik er ook achter hoe het voelt de natuur te missen en kon ik haar weergaloze schoonheid nog meer waarderen.

Was ik alleen in de grote stad opgegroeid, dan had ik misschien nooit geweten wat ik miste en had ik misschien Rachel Carsons waarschuwing nooit begrepen als iets waar ik ook zelf moreel mee te maken had.

Toen ik in 1976 tot congreslid werd gekozen, besloten Tipper en ik met onze kinderen het patroon te volgen dat mijn opvoeding zo had gekenmerkt: school in de grote stad en elke zomer en kerstvakantie op de boerderij.

BOVEN: *Al, drie jaar oud, en Al sr. op de familieboerderij, Carthage, Tennessee, 1951*

LINKSONDER: *Al en zijn vader op de familieboerderij, Carthage, Tennessee, 1951*; RECHTSONDER: *Al met zijn moeder, Pauline Gore, in hun appartement in Washington, 1958*

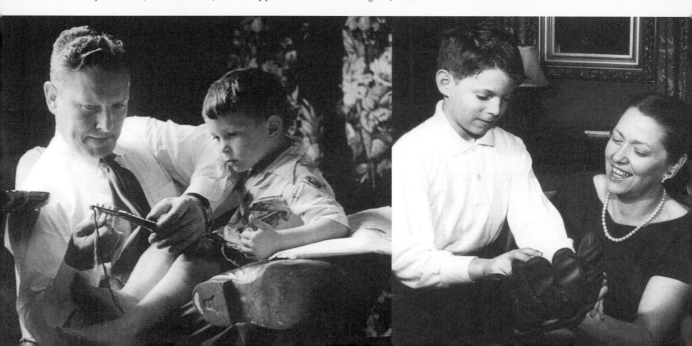

Er zijn twee plaatsen op aarde die als 'alarmbellen' fungeren, regio's die bijzonder gevoelig zijn voor de effecten van opwarming. De eerste, op de foto rechts, is het noordpoolgebied, de tweede is Antarctica.

In deze beide bevroren gebieden zien wetenschappers snellere veranderingen – en ook eerder de ingrijpende gevolgen daarvan – dan elders op aarde.

Oppervlakkig gezien lijken ze sterk op elkaar: overal sneeuw en ijs. Feitelijk zijn de verschillen echter enorm. De ijslaag in het noordpoolgebied is gemiddeld nog geen drie meter dik; de ijskap van Antartica is drie *kilometer* dik. Dit verschil wordt veroorzaakt door wat zich onder de ijslagen bevindt. Antarctica is land, omgeven door oceaanwater, terwijl het noordpoolgebied oceaan is, omgeven door land.

De geringe dikte van het drijvende noordpoolijs – plus het feit dat ook de bevroren bodem van het gebied ten noorden van de poolcirkel vrij dun is – maakt dit gebied erg kwetsbaar voor de snel stijgende temperaturen.

Op de noordpool is het meest dramatische effect van de opwarming van de aarde het versneld smelten van het ijs. De temperaturen schieten hier sneller omhoog dan elders op aarde.

NOORDPOOL

Op deze foto is de grootste ijsplaat van het noordpoolgebied te zien: de Ward Hunt-plaat. Tot grote verbazing van de wetenschappers brak deze plaat drie jaar geleden in tweeën. Zoiets was nog nooit eerder gebeurd.

ONDERZOEKERS ONTDEKKEN
DE SCHEUR IN DE WARD HUNT
IJSPLAAT IN NUNAVUT,
CANADA, 2002 .

In Alaska noemen ze dit 'dronken bomen', omdat ze alle kanten uitstaan. Met windschade of alcoholconsumptie heeft het niets te maken.

SPARREN, TEN NOORDEN VAN
FAIRBANKS, ALASKA, 2004

Decennia, soms eeuwen, geleden verankerden
ze zich met hun wortels diep in de toendrabodem.
Nu de toendra smelt, verliezen ze dat houvast,
waardoor ze alle kanten op zwaaien.

131

Land ten noorden van de poolcirkel is gedurende het grootste deel van het jaar bevroren. Een deel van de bodem blijft permanent bevroren: permafrost. Door de opwarming van de aarde beginnen nu grote permafrostgebieden te ontdooien.

Dat is de reden voor de instorting van het gebouw links, in Siberië. Het werd gebouwd op permafrost maar de bodem verzwakte.

Om dezelfde reden moest de eigenaar van het huis in Alaska, linksonder, zijn woning verlaten.

RISICO'S INFRASTRUCTUUR ROND 2050 DOOR DE DOOI VAN PERMAFROST

Het Arctic Council heeft onlangs een studie afgerond naar de verwachte schade aan de infrastructuur als gevolg van het ontdooien van bevroren toendra's op het noordelijk halfrond. Voor roze gebieden wordt de ernstigste schade verwacht. Let op de omvang van het gebied in Siberië dat wordt aangetast: ongeveer een miljoen km², gebied dat sinds de laatste ijstijd bevroren is. Volgens wetenschappers ligt hier zeventig miljard ton koolstof opgeslagen die instabiel wordt als de permafrost dooit. De hoeveelheid koolstof in de bodem van deze gebieden in Siberië is het tienvoudige van wat de mens jaarlijks uitstoot. Een vooraanstaande wetenschappelijke expert op dit gebied, Sergei Kirpotin van de Staatsuniversiteit van Tomsk, kwam met een ernstige waarschuwing: het verdwijnen van permafrost is een ecologische aardverschuiving... verbonden met de opwarming van het klimaat.

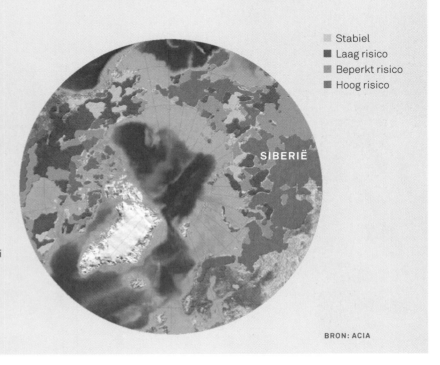

- ▨ Stabiel
- ■ Laag risico
- ▨ Beperkt risico
- ■ Hoog risico

SIBERIË

BRON: ACIA

EEN VRACHTWAGEN OP EEN
WINTERWEG OP DE BEVROREN
KOTUY RIVIER, TAYMYR, NOORD-
SIBERIË, RUSLAND

Vrachtwagens die het grootste deel van het jaar over de bevroren snelwegen van Alaska moeten rijden, komen door ontdooiend permafrost soms vast te zitten in de modder.

Ironisch genoeg zouden deze bevroren wegen onontbeerlijk zijn voor de oliemaatschappijen die het Congres proberen over te halen om ze te laten boren in beschermde gebieden in Noord-Alaska. Dat de permafrost nu op grote schaal smelt, compliceert hun toch al controversiële voorstel.

De grafiek hieronder geeft aan hoeveel dagen per jaar de toendra hard genoeg bevroren is om erover heen te rijden.

Tegenwoordig zijn dat minder dan tachtig dagen per jaar. De lente begint eerder en de herfst valt later. En ondertussen blijft de temperatuur oplopen, in het noordpoolgebied sneller dan elders in de wereld.

AANTAL DAGEN PER JAAR DAT DE TOENDRA IN ALASKA BERIJDBAAR IS (1970-2002)

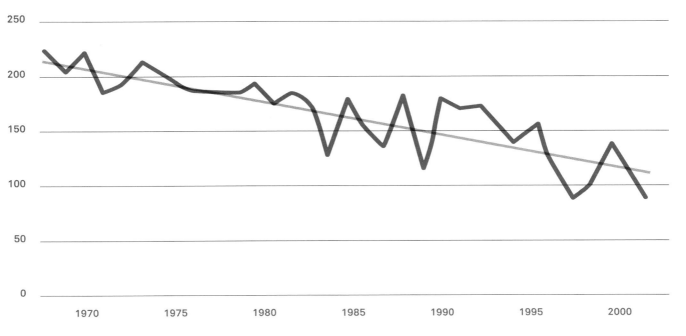

Een pijpleiding van nationaal belang komt in de problemen door het verdwijnen van permafrost.

ALTERNATIEVE BRANDSTOFFEN, EEN KORTE HANDLEIDING

Toen ik congreslid was, maakten we vaak ruzie over het nut om uit maïs ethanol te maken. Ondanks de grappen die werden gemaakt over illegaal stoken, was ik voorstander. Ook al was ik niet helemaal gerust op bepaalde milieu-effecten vond ik dat we moesten werken aan alternatieven voor fossiele brandstoffen en een stap moesten zetten om minder afhankelijk te worden van buitenlandse olie. Daarom ben ik blij dat er inmiddels weer allerlei belangrijke innovaties te melden zijn.

Zo heeft een Canadees bedrijf een manier bedacht om een nieuw soort alcohol te maken uit plantenvezels in plaats van uit de suikers in maïs. Dit 'cellulose-ethanol' is goedkoper en schoner. Het ontleent zijn naam aan cellulose, de stof waaruit plantenvezels zijn opgebouwd. Katoen bestaat bijvoorbeeld voor bijna honderd procent uit cellulose, maar ook landbouwafval zit er vol mee. Dit betekent dat we nu in plaats van de maïskorrels de stelen van de maïsplanten kunnen gebruiken. Ook gewassen als vingergras (Panicum virgatum), populier en andere gemakkelijke en snelgroeiende planten kunnen goedkoop in alcohol worden omgezet. Er bestaat een schatting dat deze nieuwe technologie

een kwart van de energie kan leveren die nodig is voor alle vervoer en transport. Bovendien: plantaardige ethanol veroorzaakt 29 procent minder broeikasgas dan benzine, maar ethanol uit cellulose zelfs 85 procent minder.

Biodiesel is een ander, bekend alternatief. Het kan bijvoorbeeld worden gemaakt uit oude frituurolie. Voor wie zich afvraagt hoeveel friet we zouden moeten eten om van de OPEC af te kunnen: Changing World Technologies maakt biodiesel waar geen frituurvet aan te pas komt. Het bedrijf heeft een bioreactor geperfectioneerd die van alle soorten organisch materiaal olie kan maken. De eerste installatie staat bij een fabriek van Butterball (in de VS een bekend merk pluimveeproducten). De verwerking van 270 ton kalkoeningewanden en 20 ton varkensvet levert samen 500 vaten hoogwaardige olie op. Afvalwater, gebruikte banden en plastic flessen kunnen nu in brandstof worden omgezet.

Waterstof zou de ultieme schone brandstof van de toekomst kunnen zijn. De meeste deskundigen zijn het er echter over eens dat een waterstof-economie nog wel een paar decennia op zich laat wachten. We weten ook dat wat op de ene plaats werkt, nog niet op

een andere plek hoeft te werken. Zo is de productie van waterstof met behulp van zonne-energie in Arizona verstandig en haalbaar, omdat die staat gemiddeld 300 dagen per jaar zon heeft. Waterstof uit kolen of aardgas halen kan echter het broeikaseffect juist verergeren, omdat daarbij vrijwel pure koolstofdioxide vrijkomt, die je zou moeten opslaan om negatieve effecten tegen te gaan.

We zullen in de toekomst ook de goede beslissingen op de goede plaats moeten maken, moeten weten wat realistisch is voor welke plek, welk ecosysteem en welke industrie. We willen lokale economieën op een verstandige en verantwoorde manier een impuls geven, zonder de ontwikkelingen te versterken die ons juist in een diepe crisis hebben gestort.

Op het spoor van extremen

Je kunt veldstudies lezen, praten met wetenschappers en je over grafieken buigen, maar iets met eigen ogen zien zegt toch het meest.

Het verhaal over opwarming van de aarde, dat ik vertel, is gebaseerd op twee reizen: een denkbeeldige en een echte. De diaserie die ik regelmatig vertoon aan publiek overal ter wereld is mijn 'reisverslag' van de intellectuele zoektocht die ik heb ondernomen om te begrijpen wat de aard van deze crisis is en waarom we het zo moeilijk vinden die onder ogen te zien. Elk onderdeel van de diaserie staat voor een 'Aha-moment' tijdens mijn eigen leerproces.

Met het vertonen van de serie wil ik ook anderen die ontdekkingsmomenten laten beleven. Daarnaast heb ik ook werkelijk gereisd om de crisis te begrijpen. Ik bezocht vele moeilijk toegankelijke plekken waar 's werelds beste wetenschappers vaak onder extreem moeilijke omstandigheden hun onderzoekswerk doen.

Je kunt veldstudies lezen, praten met wetenschappers en je over grafieken buigen, maar iets met eigen ogen zien zegt toch het meest. Ik trek er dan ook veel op uit. Maar niet alleen omdat ik zo veel mogelijk te weten wilde komen over de klimaatcrisis. Het trekt me, denk ik, ook aan omdat ik op die manier weer in de natuur kom en de kans heb om vele fascinerende plekken op aarde te zien.

Tijdens mijn onderzoekstocht langs plaatsen waar de sporen van opwarming al te zien zijn, heb ik gereisd van de ijskap van Groenland tot de moerassen van de Everglades, van het Aralmeer tot de Dode Zee, van Noord-Alaska tot het zuidelijke eiland van Nieuw-Zeeland, van de vlakten van de Serengeti tot de Kyzyl Kum-woestijn, van de Nijl tot de Congo-rivier, van de Skeleton Coast van Namibië tot de Galapagos-eilanden, van Mauna Loa tot de Mekong-delta, van de Badlands in de vs tot Kaap de Goede Hoop, van Oak Ridge National Laboratory in Tennessee

tot aan de Tsjernobyl-sarcofaag in Oekraïne, van het Amazonewoud tot het Nationale Gletsjerpark in Montana, van het hoogste meer ter wereld, het Titicacameer, tot de laagstgelegen woestijn, Death Valley. Maar van alle plaatsen die ik bezocht sprongen er twee echt uit: de noordpool en de zuidpool.

Toen ik de zuidpool bezocht waren er verschillende dingen die me verbaasden. Om te beginnen is de laag ijs en sneeuw hier meer dan drie kilometer dik, zodat ik – zoals de meeste bezoekers – verschijnselen van hoogteziekte kreeg: een lichte hoofdpijn en misselijkheid die snel overgaan als je lichaam aan de hoogte gewend is. Het was niet eerder bij me opgekomen dat Antarctica qua gemiddelde hoogte elk ander continent overtreft. IJs en sneeuw zijn hier laag na laag gedurende vele honderdduizenden jaren opgestapeld, zodat de top van de ijskap

Gore aan boord van de Marine II, op een tocht naar het Nationale Gletsjer Park, 1997

nu hoog de lucht insteekt. Geologen vertelden me dat door het gewicht van ijs en sneeuw de onderliggende rotsbodem onder zeeniveau gedrukt werd. Omdat er op Antarctica zo weinig neerslag valt, zijn de afzonderlijke sneeuwlagen in het pakket dat hier ligt vrij dun. Voor wetenschappers is het daarom een uitdaging om daaruit gegevens te verzamelen. Bovendien zijn de onderste, oudste lagen onder het gewicht van het pakket samengedrukt, waardoor het nog lastiger wordt om het CO_2-gehalte te meten in de kleine luchtbelletjes die daarin zijn opgesloten.

En dan de temperatuur. Ik wist dat het koud zou zijn op Antarctica, maar ik had geen idee hóe koud. Min vijftig was voorspeld. Ik was er door geen enkele eerdere ervaring op voorbereid wat dat in de praktijk betekende. Een veteraan die er al wat seizoenen op het zuidpoolstation op

had zitten verrijkte me met de volgende wijsheid: 'Er bestaat niet zoiets als slecht weer,' zei hij, 'wel slechte kleding.'

Begrijpelijkerwijs besteden wetenschappers die op Antarctica werken veel aandacht aan hun kleding (maar nauwelijks aan hoe die eruitziet). De randen van de capuchons van hun speciale jassen steken uit tot ver voorbij hun gezicht, omdat de lucht zo koud is, dat die op z'n minst iets moet zijn opgewarmd voor dat je die inademt. En vrijwel niemand kan zijn hoofd al te lang aan de lucht blootstellen, omdat de oren anders ernstige bevriezingsverschijnselen oplopen. Het resultaat is dat de mensen erbij lopen alsof ze naar de buitenwereld gluren door een decimeterslange tunnel van dik konijnenbont.

Op de exacte zuidpool staat een gestreepte paal in het ijs. Deze dient twee doelen: bezoekers kunnen hier 'even de

hele aarde omrennen' en het is de plek waar zij hun foto's nemen. Aanbevolen techniek: capuchon af voor slechts enkele seconden, in die tijd dapper lachen naar de camera en dan onmiddellijk de capuchon weer op.

Het was ook een hele verrassing toen wetenschappers me dicht bij de zuidpool lieten zien dat de luchtverontreiniging duidelijk zichtbaar verminderde niet lang nadat in 1970 in de vs de Clean Air Act in werking trad. Aan de hand van de jaarlijkse ijslaagjes kun je het verschil voor en na werkelijk met eigen ogen waarnemen. Antarctica en het noordpoolgebied liggen beide ver van de bewoonde wereld. Toch zijn inmiddels ook hier de tekenen van industriële vervuiling aanwezig. De lucht boven de noordpool raakt steeds meer verontreinigd door de overheersende windstromingen op het noordelijk halfrond en de grote concentratie aan

LINKS: *Gore op Antarctica, 1989*
RECHTS: *Gore, vliegend boven Tsjernobyl, Oekraïne, juli 1989*

industrieën op dat halfrond.

Tweeënhalf jaar nadat ik Antarctica had bezocht, betrad ik voor het eerst de ijskap van de noordpool en werd ik getroffen door de opzienbarende verschillen. Ik vloog naar Deadhorse in Alaska, aan de rand van de Poolzee, en ging van daaruit per helikopter naar een onderzeeër voor een tocht noordwaarts onder de ijskap.

Op mijn tweede reis vloog ik naar Groenland, waar ik overstapte op een C130 die met ski's was uitgerust, en daarna op een nog kleiner vliegtuig, ook met ski's als landingsgestel. Na drieënhalf uur noordwaarts vliegen in het vliegtuigje, landden we op het drijfijs in de Poolzee en we vervolgden de reis op sneeuwscooters. We stopten, sliepen een paar uur in tenten op het ijs en moesten daarna op de sneeuwscooters nog drie kilometer rijden tot de noordelijke rand van het drijfijs. Daar maakten marinemensen met bezems een enorme X op het ijs op de plaats waar een onderzeeër omhoog zou komen. Wij gingen op een afstand staan die ons veilig genoeg leek.

Ik keek met ontzag toe hoe de reusachtige onderzeeër zich vanuit de diepte door de ijsvloer boorde. Maar vanaf het gat schoot toen, alsof er een bliksemschicht door het ijs ging, een enorme scheur op me af. Ik dook naar een kant van de breuk. Toen ik weer was opgestaan zag ik glim-

lachende gezichten; de marinemensen reageerden heel wat laconieker op het scheurende ijs.

Nadat we met de onderzeeër waren ondergedoken, reisden we zeven uur in noordelijke richting, precies tot aan de pool. De navigatieapparatuur gaf daar een hele rij nullen te zien – het was alsof we de jackpot hadden gewonnen. Exact bij de noordpool braken we door het ijs omhoog. Ik herinner me hoe ik van de opbouw van de onderzeeër afklom en vervolgens op het ijs stond. Wat me het meest trof was de bijna sprookjesachtige schoonheid van de kleine ijskristallen in de lucht om me heen, die het heldere zonlicht als 'luchtdiamanten' weerspiegelden.

De aanleiding voor mijn twee reizen onder het noordpoolijs was dat ik meer wilde weten over de opwarming van de aarde en de Amerikaanse marine ertoe wilde overhalen om zeer geheime gegevens ter beschikking te stellen aan wetenschappers, gespecialiseerd in onderzoek naar de effecten van de opwarming van de aarde op het noordpoolijs.

De marine beschikte als enige instantie over gegevens over de ijsdikten. Ze verzamelde die door bijna vijftig jaar lang regelmatig – onder het ijs – in de Poolzee te patrouilleren in speciale onderzeeërs die door het ijs kunnen breken om aan de oppervlakte te komen. Tijdens de Koude Oorlog waren de vs-strijdkrachten klaar om binnen een paar minuten tijd een

aanval van de voormalige Sovjet-Unie te vergelden.

De onderzeeërs in het noordpoolgebied moesten in het geval van een nucleair treffen snel boven water kunnen komen. Dat was wel een uitdaging, want op sommige plekken was de ijslaag veel dikker dan op andere. Ondanks hun speciale ontwerp kunnen deze onderzeeërs alleen veilig bovenkomen op plekken waar het ijs minder dan een meter dik is. Daarom heeft de marine lange tijd een opwaarts gerichte radar gebruikt om tijdens de lange reizen onder het ijs de ijsdikte boven de vaartuigen te meten. Gedurende de laatste halve eeuw zijn vanaf deze noordpoolonderzeeërs heel zorgvuldig de ijsdikten bijgehouden op elk van de 'dwarsdoorsneden' die ze op hun reizen onder het ijs gevaren hebben.

Het ging me om dit vijftigjarige archief met het stempel 'strikt geheim'. Ik wilde dat de marine en de CIA, die er ook zeggenschap over had, dit unieke archief vrijgaven aan wetenschappers die de gegevens keihard nodig hadden om cruciale vragen over de opwarming te kunnen beantwoorden. Is de ijskap van de noordpool aan het smelten, en zo ja, hoe snel?

Eerst verzette de marine zich krachtig uit angst dat vijanden van de VS dan zouden kunnen uitstippelen welke routes de onderzeeërs volgden op hun patrouilletochten. Als lid van de Strijdkrachtencommissie van de Senaat had ik daar volledig begrip voor. Daarom zocht ik samen met de marine of er niet toch op een verantwoorde manier een mouw aan te passen viel. Viersterren admiraal Bruce DeMars, destijds hoofd van het Nuclear Propulsion Program van de marine en verantwoordelijk voor alle onderzeeërs, ging met me mee naar de noordpool.

Onderweg luisterde hij naar wat ik over de opwarming vertelde en – ondanks zijn aanvankelijke scepsis – werd hij een bondgenoot van onschatbare waarde. Hij en president Reagans CIA-directeur Bob Gates bedachten een innovatieve manier om de gegevens onder zorgvuldige waarborgen te verstrekken. En het was goed dat ze dat deden, want de informatie bleek nog belangrijker en alarmerender dan de wetenschappers hadden verwacht. De data onthulden het dramatische beeld van een snel smeltproces. In recente decennia zijn de gegevens van onderzeeërs gecombineerd met satellietbeelden om een nog completer beeld te krijgen. Daaruit blijkt dat de ijskap van de noordpool na circa 1975 aan een tamelijk snelle terugtrekking is begonnen.

Hoewel het effect van de opwarming van de aarde het meest uitgesproken is in de poolgebieden, stuitte ik ook bij de evenaar op dramatische effecten. Gedurende twee reizen naar het Amazonegebied, ontmoette ik wetenschappers die steeds bezorgder zijn over de ingrijpende veranderingen in neerslagpatronen. In 2005 leed het Amazonegebied onder de ernstigste droogte die uit de geschiedenis bekend is, met vernietigende gevolgen.

In Kenya, ook op de evenaar, hoorde ik dat men zich steeds meer zorgen maakt over de toenemende bedreiging door muskieten, die hun territorium nu kunnen uitbreiden naar hoger gelegen plekken die vroeger voor hen te koud waren.

Op al mijn reizen heb ik geprobeerd de klimaatcrisis beter te doorgronden. En op elke reis werd me niet alleen duidelijk welk mondiaal gevaar er dreigt, maar ook dat men overal uitkijkt naar een leidende rol van de VS bij het streven naar een veiliger en betere toekomst. Telkens als ik weer terugkwam groeide daardoor bij mij de overtuiging dat de oplossing van de crisis die ik zo vergaand heb onderzocht bij ons thuis moet beginnen.

Gore in het gebied van de evenaar, Afrika, 1989

Twee keer maakte ik in een nucleaire onderzeeër een reis onder het ijs van de noordpool. We braken daarbij door het ijs om aan de oppervlakte te komen. De tweede keer gebeurde dat precies bij de noordpool. De serie foto's hieronder laten één speciale poolonderzeeër zien die de Amerikaanse marine ontwierp. Deze onderzeeërs hebben sinds de eerste missie van de USS Nautilus in 1958 bijna vijftig jaar continu onder de ijskap gepatrouilleerd. Let op de vleugels aan de opbouw van de onderzeeër. Bij de meeste onderzeeërs staan ze in een vaste horizontale positie om het besturen van de boot te vergemakkelijken. Bij deze onderzeeërs kunnen de vleugels echter in verticale positie worden gedraaid om bij het opstijgen als messen door het ijs te snijden. Omdat ze alleen aan de oppervlakte kunnen komen als het ijs minder dan een meter dik is, heeft de marine door de jaren heel nauwgezet de ijsdikten gemeten.

LOSSE VIDEOBEELDEN VAN DE USS
PARGO DIE DOOR HET IJS BREEKT

De marine beschouwde deze gegevens jarenlang als geheime informatie. Toen ik ze had overgehaald deze gegevens vrij te geven, bleken ze een alarmerend verhaal te vertellen.

Vanaf de jaren zeventig van de vorige eeuw zijn het oppervlak en de dikte van het ijs duizelingwekkend snel afgenomen. Er zijn onderzoeken die aangeven dat als we op de huidige voet doorgaan het noordpoolijs elke zomer volledig zal verdwijnen. Nu speelt het ijs nog een cruciale rol in het koelen van de aarde. Een van onze eerste prioriteiten moet zijn ervoor te zorgen dat dit ijs niet verdwijnt.

ZEE-IJSAREAAL OP HET NOORDELIJK HALFROND

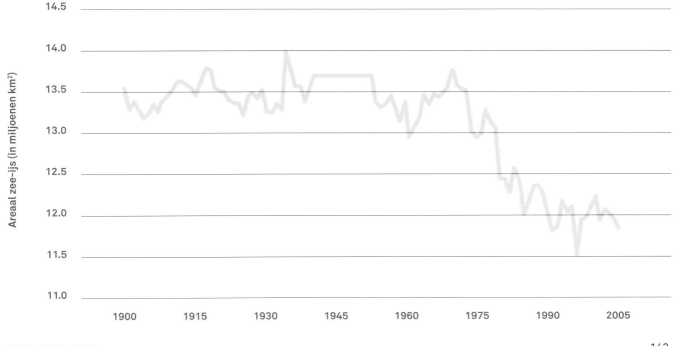

BRON: HADLEY CARTER

De ijskap van de noordpool smelt snel. Dat komt in de eerste plaats doordat het ijs veel dunner is dan dat van de ijskap op Antarctica; het drijft op de Poolzee. Ten tweede heeft het wegsmelten van een deel van dit ijs ingrijpende gevolgen voor de hoeveelheid zonne-energie die dit gebied absorbeert. Zoals de illustratie rechts laat zien, reflecteert het ijs als een reusachtige spiegel het grootste deel van de zonnestraling. Het water van de open zee absorbeert juist het grootste deel van die energie en wordt warmer. Wanneer het water opwarmt, versterkt dat het smeltproces aan de randen van het nabijgelegen ijs: een voorbeeld van wat wetenschappers 'positieve feedback' noemen. In het noordpoolgebied is dit proces op dit moment gaande.

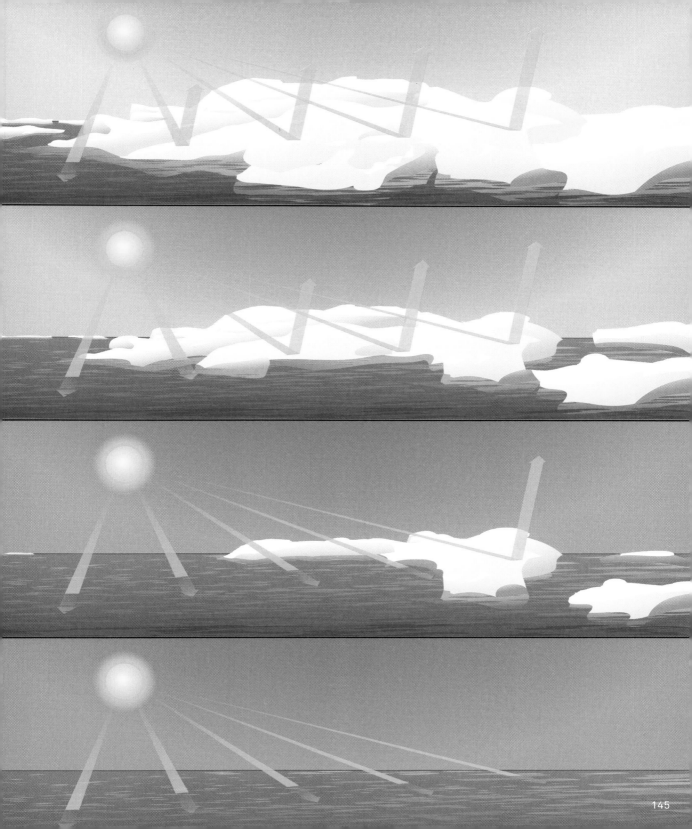

Het smelten van het ijs is nadelig voor dieren als de ijsbeer. Een recent onderzoek heeft aangetoond dat voor het eerst in de geschiedenis grote aantallen ijsberen verdrinken. Dat gebeurde vroeger bijna nooit, maar nu moeten deze dieren steeds verder zwemmen om van schots naar schots te gaan. Soms ligt de rand van het ijs wel 50 tot 65 kilometer uit de kust.

Wat betekent dat voor ons: het aanzicht van een grote vlakte open water, die ooit met ijs bedekt was? We zouden het ons bijzonder moeten aantrekken, want het heeft ernstige gevolgen voor de hele planeet.

IJSBERENMOEDER EN WELP
OP HET PAKIJS, SPITSBERGEN,
NOORWEGEN, 2003

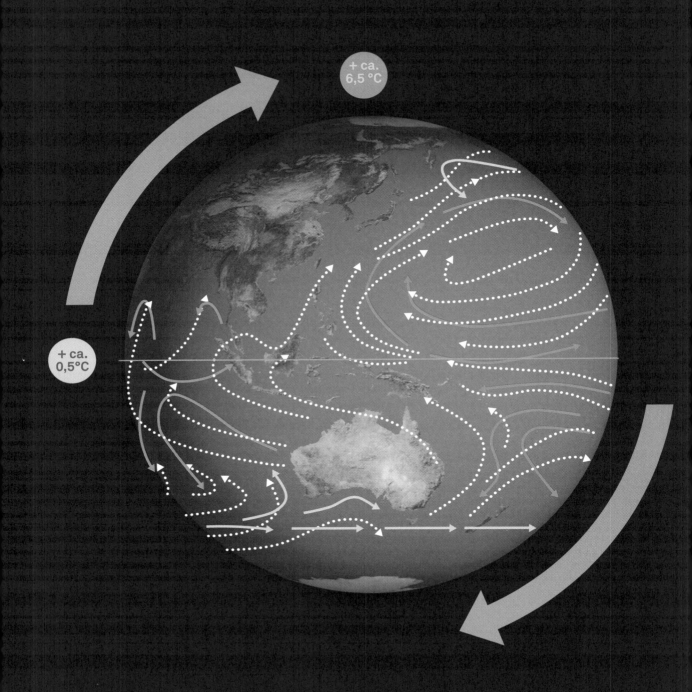

+ ca. 6,5 °C

+ ca. 0,5°C

BRON: IPCC

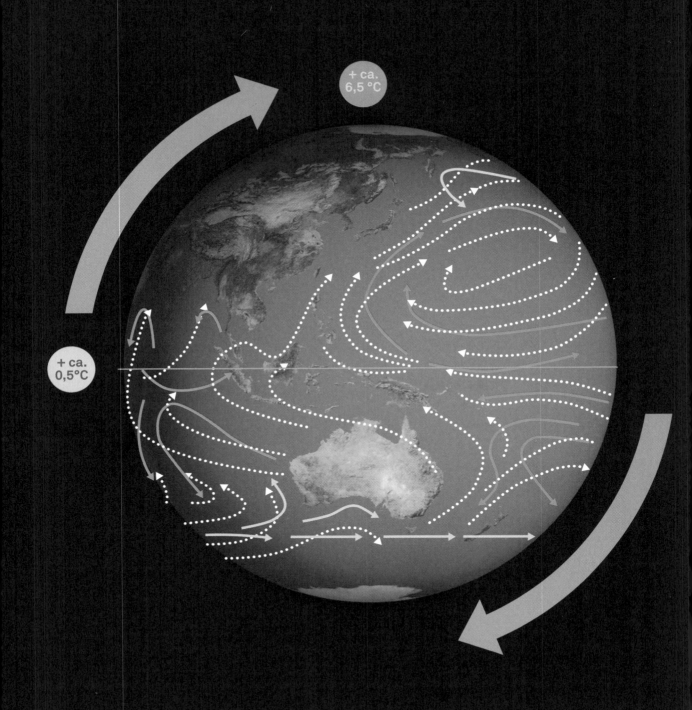

+ ca.
6,5 °C

+ ca.
0,5°C

BRON: IPCC

De warmte die Europa aan de Golfstroom ontleent, zorgt er overigens voor dat steden als Parijs en Londen veel warmer zijn dan Montreal of Fargo in Noord-Dakota, ook al liggen ze bijna op eenzelfde breedtegraad. Zo is ook Madrid veel warmer dan New York op dezelfde breedtegraad.

Het water van de Golfstroom dat na het verdampingsproces in de Noord-Atlantische Oceaan achterblijft, is niet alleen kouder geworden maar ook (water verdampt, zout blijft achter) zouter en dus veel zwaarder. Daardoor zakt het met een verbazingwekkende negentien miljard liter per seconde en vormt daarmee het begin van een koude waterstroom in zuidwaartse richting.

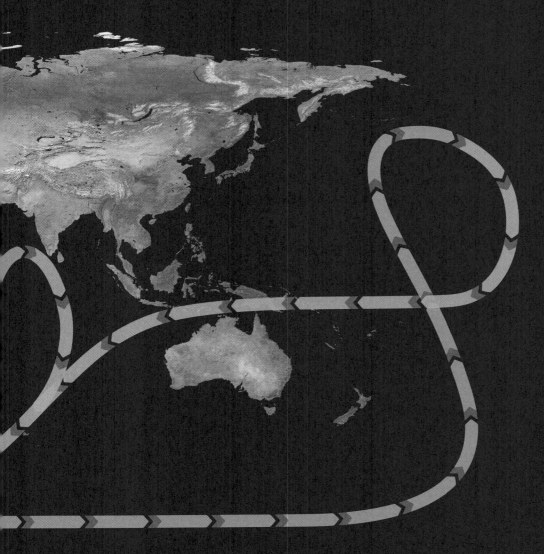

Het aloude seizoensritme op aarde – zomer, herfst, winter en lente – is ook aan het veranderen, omdat sommige delen van de aarde sneller opwarmen dan andere.

Komst van de vogels   Uitkomen vogeleieren   Uitkomen rupseneiere

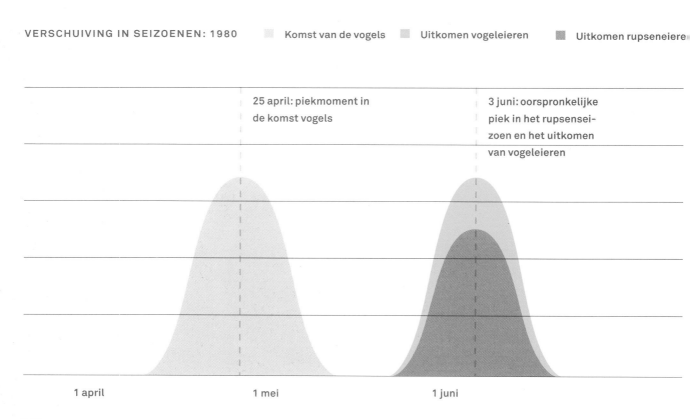

25 april: piekmoment in de komst vogels

3 juni: oorspronkelijke piek in het rupsensei-zoen en het uitkomen van vogeleieren

1 april   1 mei   1 juni

Nederlands onderzoek (zie de figuur hieronder) laat zien dat 25 jaar geleden de piektijd in de komst van trekvogels rond 25 april lag. Hun kuikens kropen bijna zes weken later uit het ei (met een piek op 3 juni), precies op tijd om te profiteren van de piek in het rupsenseizoen. Twee decennia van opwarming later arriveren de oudervogels nog steeds eind april, maar de rupsenpiek valt inmiddels twee weken eerder. De ouders moeten het daarom stellen zonder deze traditionele voedselbron voor hun jongen. De piek in het uitkomen van hun jongen is wel iets naar voren geschoven in het seizoen, maar de mogelijkheden tot zo'n bijstelling zijn beperkt. Het gevolg is dat de kuikens in de problemen komen.

De opwarming van de aarde verstoort zo miljoenen delicate, uitgebalanceerde ecologische relaties tussen soorten.

ZWARTE STERN VOERT JONGEN, DE WIEDEN, NOORDWEST-OVERIJSSEL, NEDERLAND

VERSCHUIVING IN SEIZOENEN: 2000

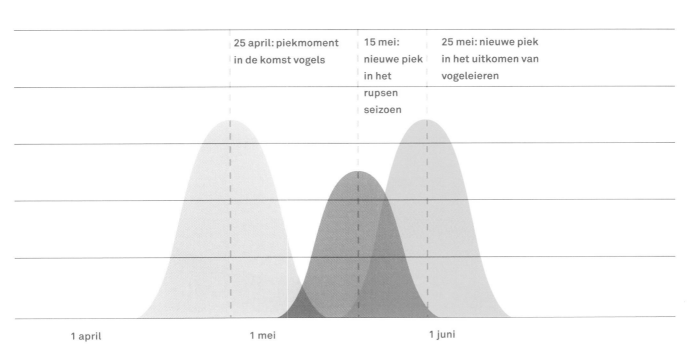

25 april: piekmoment in de komst vogels

15 mei: nieuwe piek in het rupsen seizoen

25 mei: nieuwe piek in het uitkomen van vogeleieren

1 april   1 mei   1 juni

Nog een voorbeeld van hoe de opwarming van de aarde de natuur, zoals wij die kennen, uit balans brengt.

De blauwe lijn hieronder toont de sterke afname van het aantal dagen per jaar met vorst aan de grond in het zuiden van Zwitserland. Het oranje vlak maakt duidelijk hoe snel, in dezelfde periode, het aantal nieuwe ('invasieve') soorten toenam. Deze soorten zijn dit gebied binnengedrongen om beslag te leggen op nieuw ontstane ecologische mogelijkheden.

Hetzelfde gebeurt ook in de VS. Zo werden in het westen de zeer schadelijke dennenkevers gewoonlijk in toom gehouden door koude winters. Nu het echter minder dagen vriest, gaat het erg goed met de dennenkevers, maar gaan de dennenbomen ten gronde.

VERSCHUIVING IN SEIZOENEN

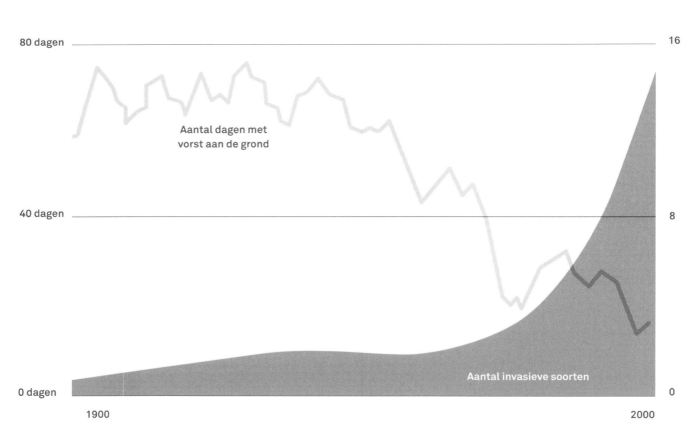

Aantal dagen met vorst aan de grond

Aantal invasieve soorten

80 dagen — 16

40 dagen — 8

0 dagen — 0

1900 — 2000

BRON: NATIONAL GEOGRAPHIC MAGAZINE

SCHADE DOOR DENNENKEVERS,
PLAINS, MONTANA, 1989

Deze foto toont een deel van de 5,6 miljoen hectare aan dode sparren in Alaska en British Columbia. De sparren zijn dodelijk aangetast door schorskevers. Ooit werd een snelle verspreiding van deze soorten afgeremd door koudere en langere winters.

SPARREN, TEN PROOI GEVALLEN
AAN SCHORSKEVERS, NABIJ
HOMER, ALASKA, 2004

157

Door de wildernis

— ◆◆ —

**Iets verliezen is één ding.
Vergeten wat je verloren hebt,
is nog iets heel anders.**

Na mijn terugkeer uit Vietnam in 1971 kochten mijn vrouw Tipper en ik een tent, een kampeerbrander, een lantaarn en twee rugzakken. We deden alles in de kofferbak van onze Chevrolet Impala en maakten een reis van Nashville naar Californië. We kampeerden overal onderweg.

Aanvankelijk reden we noordwaarts, naar Michigan en daarna via het Upper Peninsula naar Wisconsin en via Minnesota naar Zuid-Dakota. We gingen van het ene nationale park, bos of monument naar het andere. Ik herinner me in het bijzonder de Badlands, waar we onze tent opzetten op een primitieve kampeerplek. Van daaruit maakten we wandeltochten door het verlaten, kale en barre landschap, dat eruitzag zoals wij ons het maanoppervlak voorstelden.

We reden vervolgens naar Mount Rushmore in Zuid-Dakota, naar de Devil's Tower in Wyoming en daarna naar de majestueuze landschappen van het Yellowstone National Park en de Grand

Tetons. We trokken naar het Great Salt Lake, over de Donner Pass, door High Sierra naar Muir Woods met z'n enorme *redwood trees*, en bereikten de kust van de Pacific in Marin County, ten noorden van San Francisco.

Op de terugweg naar Tennessee zagen we Yosemite National Park en de Grand Canyon. Daarna de Mesa Verde in Colorado en Santa Fe. Het was een prachtige reis, een belevenis die zowel de uitgestrektheid van het land als onze nietigheid daarin voelbaar maakte. Tipper en ik denken nog steeds in verwondering terug aan wat we hebben gezien en aan de gezichtspunten die de reis heeft opgeleverd. Op een moment dat de vs nog worstelde met het conflict in Vietnam, was het een verademing om het beste van Amerika te zien. Het was ook een persoonlijke opluchting om weer samen te zijn met mijn vrouw na een lange periode van afwezigheid die kort na ons huwelijk begon.

Al en Tipper in de High Sierra, Soda Springs, Californië, 1971

De familie Gore aan het kamperen, Soda Springs, Californië, 1985

Deze dagen behoren tot de leukste die we als gezin hebben meegemaakt; we sliepen alle zes in slaapzakken, kookten ons eigen potje en luisterden naar elkaars verhalen. Er gaat – voor mij althans – veel rust uit van de eenvoud van dergelijke momenten.

Ik heb het geluk gehad een vrouw te trouwen met veel innemende eigenschappen die bovendien net zoveel van de natuur houdt als ik. Het gevoel te zijn herboren, dat Tipper vaak beschrijft, is precies het gevoel dat ook ik heb als we op het meer varen of over de rotsen klimmen. Als ik na maanden van wandelen over beton en leven in blokkendozen terug ben in de natuur, treedt er binnen in me een merkbare verandering op. Het gebeurt niet onmiddellijk. Ik moet eraan wennen en soms duurt het even voor dat ik de stedelijke gekte van me heb afgeschud. Maar onvermijdelijk wint de kalmte, de verstilling, terrein. En als die rust dan ten slotte over me heen komt, is het alsof ik diep ademhaal: 'O ja, *zo* voelde het.'

Iets verliezen is één ding. *Vergeten* wat je verloren hebt, is iets heel anders. Misschien zou ik niet moeten generaliseren vanuit mijn eigen ervaringen, maar ik geloof dat onze samenleving gevaarlijk dicht bij het punt is gekomen waarop we niet eens meer weten wat we kwijt zijn en vervolgens zelfs vergeten dát we iets kwijt zijn. Ten dele gebeurt zoiets doordat je nooit de kans hebt om nog echt met de natuur in contact te komen. Dat klinkt misschien als hippiegeleuter, maar je kunt de ongerepte rijkdom van de natuur niet in je opnemen zonder dat je je daardoor rustig, bescheiden en verjongd gaat voelen.

Ik geloof dat de Schepper (met de evo-

Het jaar daarop zaten we weer in de Impala voor een kampeertocht, deze keer wilden we de Rocky Mountains in Colorado verkennen.

Tipper en ik hebben altijd dezelfde drang gehad om naar buiten te gaan, erop uit te trekken en een tijdje zonder agenda's in de wildernis door te brengen. Altijd speelden boten, rugzakken of tenten een rol in onze vakanties.

Toen onze kinderen oud genoeg waren, keerden we terug naar de Grand Canyon en namen we ze alle vier mee op een tocht van ruim 350 kilometer de Colorado-rivier af. Overdag zaten we in de rubberboot of maakten we wandeltochten, 's nachts sliepen we op de oever. Het was geweldig om zo dertien dagen ongestoord met elkaar door te brengen. Op het heetst van de dag klommen we naar afgelegen delen van de Canyon en 's avonds, bij het kampvuur, praatten we over wat we beleefd hadden tijdens onze tocht over de stroomversnellingen.

lutie als onderdeel van het scheppings-
proces) ons vormde, leven en ziel gaf en
ons een plaats gaf in – en niet buiten – de
natuur, met innige banden met alle onderdelen daarvan.

Onze relatie met de natuur is geen
relatie tussen 'ons' en 'haar', maar zij ís
ons en wij zíjn haar. Dat wij een bewustzijn hebben en abstract kunnen denken
scheidt ons op geen enkele wijze van
de natuur. Dat we in staat zijn dingen te
analyseren roept bij ons een arrogante il-
lusie op, namelijk dat we zo speciaal en
uniek zouden zijn dat we los van de natuur staan. De waarheid is dat we er on-
losmakelijk mee verbonden zijn.

Ik weet dat veel mensen het milieu af-
doen als irrelevant voor hun dagelijks bestaan en ik weet ook waarom. De perioden
dat ik in mijn kindertijd in Washington
woonde, raakte ook ik verslingerd aan
het stadsritme en stadsgedruis. Ik miste
dat gevoel soms toen ik elke zomer naar
Carthage terugging.

Mede door deze achtergrond heb ik
een gezond ontzag voor de hypnotise-
rende werking van een volgepropt, over-
gestimuleerd leven in een overbevolkte
omgeving. Alles daar is erop ontworpen
om alle aandacht naar zich toe te trekken,
ons dingen te verkopen, ons vliegensvlug
van de ene plaats naar de andere plek te
brengen, ons te bepalen bij dingen die
van vitaal belang lijken, maar dat niet
zijn. Het is zo'n allesbepalende kunst-

matige omgeving, dat het kan lijken of er
niets anders bestaat.

In de natuur daarentegen gaat alles
langzaam. Het is een omgeving die niet
met geweld alle aandacht opeist en die
daardoor sommige mensen misschien
koud laat. Maar als je jezelf nooit midden
in die natuur plaatst, om te begrijpen dat
haar essentie ook onze essentie is, dan
ben je geneigd de natuur als trivialiteit
te behandelen. Dan ben je bereid de natuur te mishandelen en te vernietigen
uit onverschilligheid, zonder in te zien

dat zoiets fout is. Natuur wordt dan een
onbeduidend decor waar je dingen kunt
meemaken. Iets zonder diepere en intrin-
sieke betekenis.

We accepteren inmiddels de overheersende houding dat je met alle middelen
en zonder nadenken over de wonden
die je achterlaat alles uit de natuur mag
wegroven wat van nut is om de lucra-
tieve economische machine nog harder
te laten draaien. En als die exploitatie het
milieu schaadt, dan moet dat maar. De
natuur zal zich altijd wel weer herstellen.
Daar hoeft niemand zich druk over te maken.

Wat we de natuur aandoen, doen we
echter ook onszelf aan. De milieuverne-
tiging heeft nu een omvang bereikt die
weinigen ooit hebben voorzien. De wonden gaan niet meer vanzelf over. We moeten met kracht handelen om dit kwaad te
keren.

BOVEN: *Al en Tipper op een wande-
ling, Soda Springs, Californië, 1982*
LINKS: *De familie Gore op de Colorado-rivier door de Grand Canyon, 1994*

REUZEKIKKER
(CENTROLENELLA
GECKOIDEUM)

COCQUERELDWERGMAKI
(MIRZA COQUERELL)

DWERGGANS
(ANSER ERYTHROPUS)

GROENLANDSE WALVIS
(BALAENA MYSTICETUS)

GRIJSKOPALBATROS
(THALASSARCHE
CHRYSOSTOMA)

KEIZERSPINGUÏN
(APTENODYTES FORSTERI)

GOUDEN PAD
(BUFO PERIGLENES)

MACARONIPINGUÏN
(EUDYPTES CHRYSOLOPHUS)

COQUIKIKKER
(ELEUTHERODACTYLUS
COQUI)

GALAPAGOSAALSCHOLVER
(NANOPTERUM HARRISI)

ANTARCTISCHE PELSROB
(ARCTOCEPHALUS GAZELLA)

LELKRAANVOGELS
(GRUS CARUNCULATUS)

GEELOOGPINGUÏN
(MEGADYPTES ANTIPODES)

IJSBEER
(URSUS MARITIMUS)

ROODHALSGANS
(BRANTA RUFICOLLIS)

ZEELUIPAARD
(HYDRURGA LEPTONYX)

Veel soorten over de hele wereld worden bedreigd door de klimaatverandering en sommige sterven uit, deels door de klimaatcrisis en deels doordat de mens oprukt naar oorden waar ze ooit gedijen.

We worden geconfronteerd met wat biologen beschrijven als 'het grote uitsterven' van soorten, met een snelheid die duizend keer hoger ligt dan normaal.

Veel van de factoren die een rol spelen bij dat grote uitsterven dragen ook bij aan de klimaatcrisis. De twee zijn met elkaar verbonden. Zo brengt de vernietiging van het Amazoneregenwoud veel soorten aan de rand van de afgrond, maar er komt hierdoor ook meer CO_2 in de atmosfeer.

VERLIES AAN SOORTEN

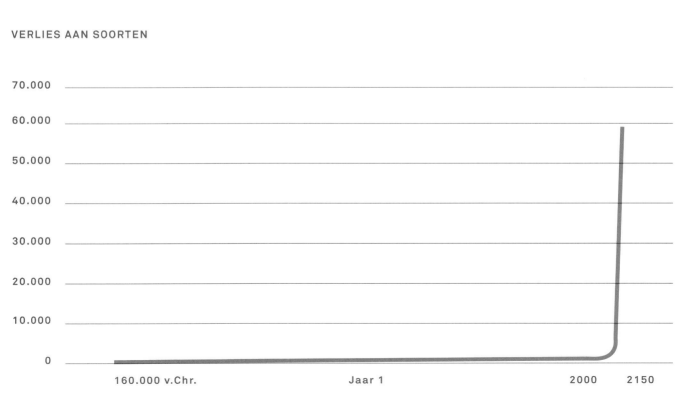

Koraalriffen zijn voor het leven in de oceanen net zo belangrijk als de regenwouden voor soorten op het land. Door opwarming van de aarde sterft een groot aantal riffen af.

In 2005, tot op heden het warmste jaar ooit geregistreerd, was er een enorm verlies aan koraalriffen. Daaronder waren er ook die nog gezond waren en gedijden toen Columbus voor het eerst in het Caribische gebied arriveerde. In 1998, geregistreerd als het op een na warmste jaar ooit, verloor de aarde naar schatting zestien procent van al haar koraalriffen.

Veel factoren dragen bij aan dit afsterven van koraal: verontreiniging vanuit nabijgelegen kusten, het vissen met dynamiet in ontwikkelingslanden en verzuring van het oceaanwater. Toch geloven wetenschappers dat de hogere watertemperatuur als gevolg van de mondiale opwarming de dodelijkste factor is in de recente, snelle en niet eerder vertoonde aantasting van koraalriffen.

Koraalverbleking is het proces waarbij gezond, bontgekleurd koraal verandert in witte of grijze skeletten. Dit gebeurt wanneer zooxanthellen (de kleine kalkwieren die als huisgenoot in symbiose met de koraalpoliepen leven) door warmte of andere omstandigheden belast worden en verdwijnen uit de transparante huid die om het koraalskelet heen zit. Bij verlies van deze felgekleurde kalkwieren wordt, onder de doorschijnende huid, het onderliggende kleurloze koraalskelet van calciumcarbonaat zichtbaar. Het verbleekte uiterlijk kondigt meestal de dood van het koraal aan.

SLAKORAAL, PHOENIX-
EILANDEN, KIRIBATI,
POLYNESIË, 2004

Het verband tussen mondiale opwarming en grootschalige koraalverbleking werd tien tot vijftien jaar terug nog aangevochten, maar is nu algemeen aanvaard.

VERBLEEKT KORAAL, RONGELAP
ATOL, MARSHALL-EILANDEN, 2004

Koralen, evenals veel andere levensvormen in de oceanen, worden bedreigd door de ongekende wereldwijde toename van kooldioxide-uitstoot. De oorzaak hiervan is niet alleen de opstapeling van dit gas in de atmosfeer en de verhoging van de oceaanwatertemperatuur. Wat ook meespeelt is dat tot een derde van het uitgestoten CO_2 uiteindelijk in de oceaan belandt en het water verzuurt. Wetenschappers hebben deze schadelijke ontwikkeling recentelijk vastgesteld.

Tot nu toe concentreerden we ons op de schadelijke effecten van alle extra CO_2 dat we in de atmosfeer brachten. Nu moeten we ons ook zorgen maken over de chemische verandering die zich in de oceanen voltrekt.

Het koolzuur dat ontstaat door alle extra CO_2, verandert de zuurgraad van het oceaanwater en leidt tot een gewijzigde verhouding in het voorkomen van carbonaat- en bicarbonaat-ionen in het water. Deze wijziging raakt op haar beurt de verzadigingsniveaus van calciumcarbonaat in de oceanen. Dit laatste is van belang omdat heel veel kleine organismen continu calciumcarbonaat gebruiken. Het is de basisbouwstof waarmee ze de harde structuren zoals riffen en schelpen kunnen opbouwen, structuren waar hun leven van afhangt.

Het enorme effect van het extra CO_2 dat in de oceanen is opgelost is te zien op de drie kaarten van het westelijk halfrond op de rechterpagina. De grote groene vlakken in de bovenste afbeelding markeren gebieden met optimale omstandigheden voor koraal, zoals die voor de industrialisatie aanwezig waren. De middelste kaart toont de huidige situatie: door verzuring van het oceaanwater zijn die gebieden sterk verkleind.

SOLASTER DAWSONI, BRITS COLUMBIA, CANADA

De onderste afbeelding laat zien wat er zou gebeuren met de zuurgraad van oceanen als we de CO_2-concentraties laten stijgen tot het dubbele van het pre-industriële niveau. Dat zal binnen 45 jaar gebeuren, tenzij we daar iets tegen doen. Uit dit kaartje blijkt dat de optimale gebieden voor koralen geheel zouden verdwijnen.

De verminderde verzadiging met calcium-carbonaat als gevolg van extra CO_2 begint – verrassend wellicht – in het koudere oceaanwater bij de polen. Bij verdere toename van de hoeveelheid CO_2 breidt de verzuring zich uit naar de evenaar.

De zeester, zoals die op de foto links, is een van de vele levensvormen die door hogere concentraties opgelost CO_2 in de oceanen getroffen worden.

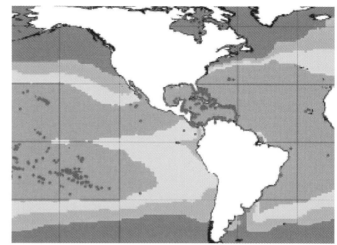

Pre-industriële situatie (1880)

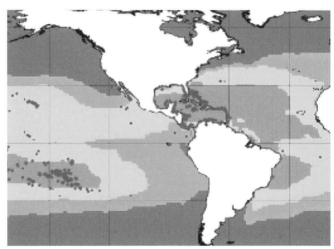

Huidige situatie (2000)

LEEFOMSTANDIGHEDEN VOOR KORALEN (CALCIUMCARBONAAT-VERZADIGING) IN DE BOVENSTE LAAG VAN HET OCEAANWATER

- ▨ >4,0 Optimaal
- ▢ 3,5-4,0 Toereikend
- ▨ 3,0-3,5 Marginaal
- ▨ <3,0 Extreem laag

BRON: USGCRP

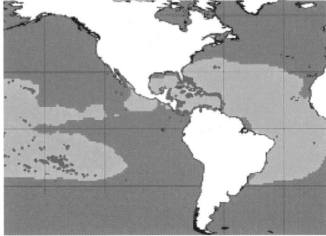

Voorspelde situatie (2050)

Op allerlei manieren veranderen we overal ter wereld de chemische eigenschappen van de oceanen. Ten gevolge daarvan ontstaan er veel nieuwe 'dode zones' zonder oceaanleven. Sommige zijn het gevolg van algenbloei in het warmere water, dat vanuit de kustgebieden de nodige meststoffen aangevoerd krijgt.

Op verschillende plaatsen heeft deze algenbloei opzienbarende, ongekende proporties aangenomen. Zo moesten in de zomer van 2005 veel vakantieoorden aan de Baltische zee wegens algenplagen hun deuren sluiten.

De 'rode vloed' in Florida is een vergelijkbaar fenomeen.

ALGENBLOEI IN DE BALTISCHE
ZEE, GOTLAND, ZWEDEN, 2005

ALGENBLOEI NABIJ DE KUST VAN
GOTLAND, ZWEDEN, 2005

ALGENBLOEI IN DE BALTISCHE
ZEE, GOTLAND, ZWEDEN, 2005

Algen zijn slechts een van de soorten ziekteveroorzakers die hun 'werkgebied' hebben kunnen uitbreiden door de opwarming van de aarde. Wanneer deze organismen, of het nu algen, muggen of teken zijn, op nieuwe plaatsen opduiken en een groter verspreidingsgebied krijgen, neemt ook de kans toe dat de mens met ze te maken krijgt en dat de ziekten die zij veroorzaken of overbrengen een ernstiger bedreiging worden.

Over het algemeen heeft de mens in z'n relatie met de microbiologische wereld van bacteriën en virussen minder gevaar te vrezen bij koudere winters, koudere nachten, meer stabiliteit in klimaatpatronen en minder ontwrichting van de natuur. De dreiging vermindert als we de rijke biodiversiteit van gebieden zoals de regenwouden (die de meeste soorten op aarde herbergen) beschermen tegen aantasting en vernietiging door de mens.

ORGANISMEN DIE ZIEKTES KUNNEN VEROORZAKEN OF OVERBRENGEN

Algen Muggen Tseetseevliegen Luizen Knaagdieren

Teken Vleermuizen Vlooien Slakken

De opwarming van de aarde verlegt alle grenzen in de verkeerde richting, waarbij de mens kwetsbaarder wordt voor nieuwe en ongewone ziekten, en voor nieuwe vormen van ziekten die eerst onder controle waren.

Zo is een belangrijk effect van de opwarming de veranderde verspreiding van muggen. Er zijn steden die aanvankelijk net boven de 'muskietengrens' lagen, de hoogtelijn waarboven de muggen zich niet waagden. Nairobi (Kenya) en Harare (Zimbabwe) bijvoorbeeld. Nu komen de muskieten op steeds grotere hoogte voor.

MUSKIETEN OP STEEDS GROTERE HOOGTEN

TEGENWOORDIG
Doordat het warmer is geworden, komen sommige muskietensoorten en de ziekten die ze overbrengen op grotere hoogten voor.

TOT 1970
In de hoger gelegen gebieden bevroren de muskieten. Hierdoor kwamen zij – en de ziekten die ze overbrengen – alleen in laaggeleden gebieden voor.

De laatste 25 tot 30 jaar hebben zo'n dertig 'nieuwe ziekten' de kop opgestoken. En een aantal 'oude ziekten', die we onder controle hadden, is weer in opmars.

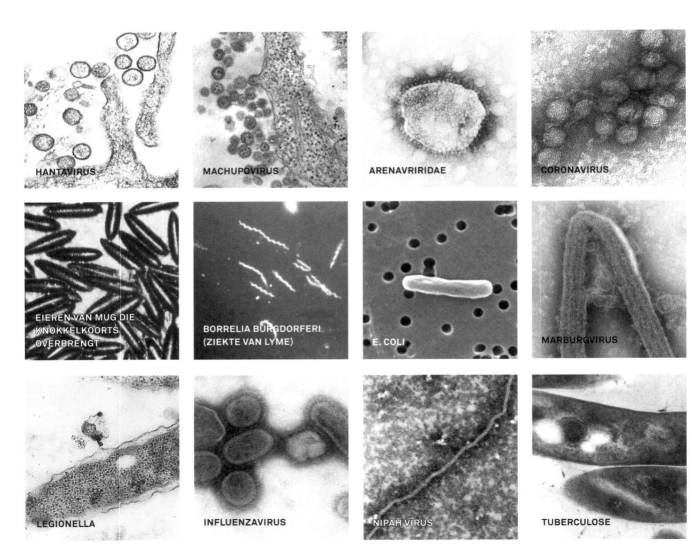

HANTAVIRUS

MACHUPOVIRUS

ARENAVRIRIDAE

CORONAVIRUS

EIEREN VAN MUG DIE KNOKKELKOORTS OVERBRENGT

BORRELIA BURGDORFERI (ZIEKTE VAN LYME)

E. COLI

MARBURGVIRUS

LEGIONELLA

INFLUENZAVIRUS

NIPAH VIRUS

TUBERCULOSE

Het West-Nijlvirus kwam bij Maryland de Amerikaanse oostkust binnen en stak binnen twee jaar de Mississippi over. Twee jaar later had het virus zich verspreid over het hele continent.

DE VERSPREIDING VAN HET WEST-NIJLVIRUS IN DE VS

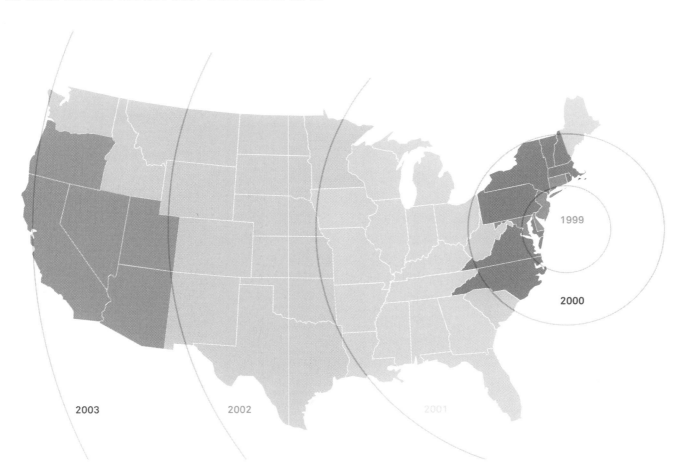

BRON: SAMENGESTELD UIT INFORMATIE (T/M 14 MEI 2003) VAN CDC, HEALTH CANADA, USGS, EN PROMED-MAIL.

Naast het noordpoolgebied fungeert ook Antarctica als 'brandmelder' voor onze planeet. Verreweg de grootste hoeveelheid ijs op aarde ligt hier opgeslagen.

Antarctica geeft je als geen andere plek op aarde het gevoel op een andere planeet te zijn. Een surrealistisch landschap, wit zonder einde in welke richting je ook kijkt, enorm uitgestrekt en koud, veel kouder dan op de noordpool. De enorme hoeveelheid sneeuw verhult een verrassend feit: Antarctica is eigenlijk een woestijn. Het gebied voldoet aan de definitie van een woestijn in die zin dat er minder dan 25 millimeter neerslag per jaar valt. Stel je het gebied zo eens voor: een ijswoestijn, een gevriesdroogde paradox.

Antarctica is neutraal gebied. Het valt onder een internationaal verdrag dat elke territoriale claim of militaire activiteit verbiedt. Het gehele continent is gereserveerd voor vreedzaam wetenschappelijk werk. Meer dan een dozijn landen is daar mee bezig. De VS zijn, onder auspiciën van de National Science Foundation, het sterkst vertegenwoordigd. Zij hebben er het Amundsen-Scott Zuidpool Station gebouwd.

Het belangrijkste basisstation van de VS ligt op Ross Eiland. Deze locatie, aan de rand van het continent, kan in de zomer met schepen bevoorraad worden. De basis is door zee-ijs permanent verbonden met de McMurdo Baai op het nabijgelegen vasteland. De plek ligt ten zuiden van Nieuw-Zeeland en je moet er een van de ruigste zeeën ter wereld voor overvaren. De meeste bezoekers worden met speciaal toegeruste vliegtuigen ingevlogen en landen op een ijsbaan die maar een deel van het jaar open is. Veelbetekenend is dat er enkele jaren geleden op Ross Eiland regen viel, voor het eerst sinds daar weergegevens worden bijgehouden.

Aan de rand van Antarctica houden zich grote aantallen robben, pinguïns en andere vogels op, die erin slagen voedsel te vinden in de oceaan. Verder het continent op zijn er geen tekenen van leven meer, behalve kleine groepjes wetenschappers die zich meestal niet ver en niet lang van hun verwarmde onderkomens wagen.

ANTARCTICA

De beroemdste vogels van Antarctica zijn de keizerspinguïns, die schitterden in de film *March of the Penguins* uit 2005. De film vermeldt echter niet dat de populatie van deze pinguïns de afgelopen vijftig jaar met zo'n zeventig procent is afgenomen. Wetenschappers vermoeden dat de opwarming van de aarde daarvan de belangrijkste oorzaak is.

MARCH OF THE PENGUINS

Het zij de toeschouwers van de populaire documentaire *March of the Penguins* vergeven als ze denken dat overleven in zo'n ijskoude omgeving de grootste uitdaging is voor de keizerspinguïns van Antarctica. Hun belangrijkste bedreiging is echter juist dat hun omgeving niet koud genoeg zal blijven.

Wetenschappers die de *filmkolonie* hebben onderzocht, concludeerden dat het aantal keizerspinguïns sinds de jaren zestig van de twintigste eeuw met zeventig procent is afgenomen. De waarschijnlijke boosdoener: mondiale klimaatverandering. In die tijd begon de lucht- en zeewatertemperatuur daar steeds hoger te worden. Weliswaar kent het weer in het Zuidzeegebied van decennium tot decennium natuurlijke verschillen, maar dit is een 'warmtevlaag' die vrijwel zonder onderbreking aanhoudt. Bij hogere temperaturen en sterkere winden neemt de dikte van het zee-ijs waarop de pinguïns nestelen af. Het verzwakte ijs zal veel sneller afbreken, naar open zee drijven en pinguïneieren en jongen met zich meevoeren. De keizerspinguïn is de enige vogel die zich helemaal op het zee-ijs en in het zeewater redt, zonder ooit voet aan wal te zetten. Maar het zee-ijs moet aan het land vastzitten wil het stabiel genoeg zijn om op te nestelen.

Wetenschappers geloven dat door de opwarming van de aarde de temperaturen omhooggaan en het zee-ijs in het gebied verandert, al is het moeilijk daarvan helemaal zeker te zijn. Alleen in bepaalde delen van Antarctica zijn er problemen met het zee-ijs. Wel is het bevroren zoete water, het 'landijs' dat het grootste deel van Antarctica bedekt, overal op het continent dunner aan het worden. Een recente NASA-studie leert aan

Beeld uit de film *March of the Penguins*.
© Jérôme Maison /Bonne Pioche. Een film van Luc Jacquet, geproduceerd door Bonne Pioche productions.

de hand van satellietopnamen dat het landijs van Antarctica jaarlijks 31 miljard ton water verliest. De keizerspinguïns en andere dieren die voor voortplanting en voedsel zijn aangewezen op het zee-ijs zijn de eersten die daarvan de effecten ondervinden.

EEN FAMILIE KEIZERSPINGUÏNS,
WEDDELLZEE, ANTARCTICA

John Mercer, wiens wetenschappelijk werk ik voor het eerst zag toen ik als Congreslid de opwarming van de aarde onderzocht, zei in 1978: 'Een van de waarschuwingstekens dat Antarctica gevaarlijk opwarmt zal het uiteenvallen van ijsplateaus aan beide kusten van het Antarctisch schiereiland zijn. Dat begint aan de uiterste noordpunt en breidt zich daarna geleidelijk zuidwaarts uit.'

Rechts zien we het Antarctisch schiereiland. Bij elk van de oranje vlekken gaat het om een ijsplaat die minstens zo groot is als Rhode Island (ca. 2700 km^2). Al dit ijs is uiteengevallen sinds Mercer met zijn waarschuwing kwam.

De rode vlek (2002) markeert de Larsen B. Deze ijsplaat is ook te zien op de foto links die duidelijk maakt hoe groot dergelijke plateaus zijn. Ze steken bijna 220 meter boven zeeniveau uit.

DE LARSEN-B IJSPLAAT, ANTARCTICA

IJSVERLIES VAN HET ANTARCTISCH SCHIEREILAND

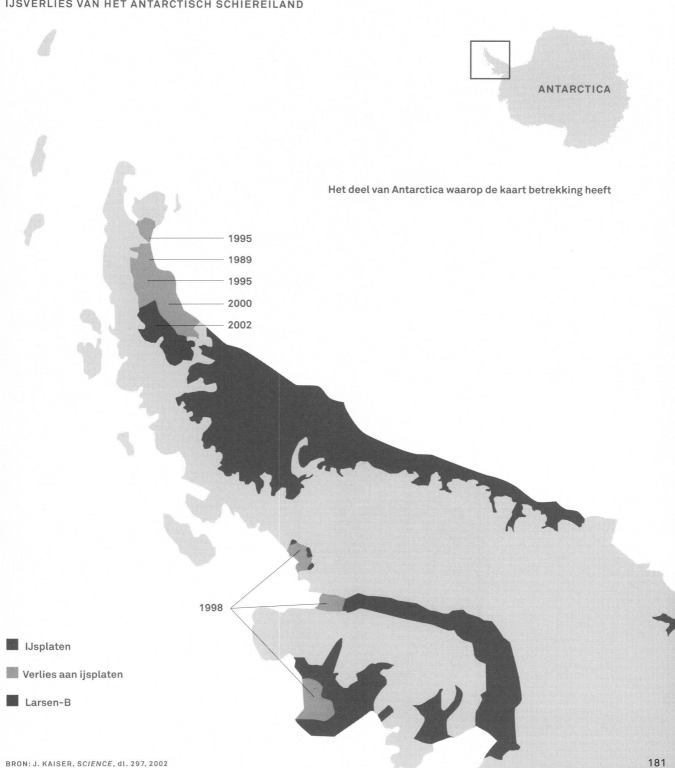

ANTARCTICA

Het deel van Antarctica waarop de kaart betrekking heeft

1995
1989
1995
2000
2002

1998

IJsplaten

Verlies aan ijsplaten

Larsen-B

BRON: J. KAISER, *SCIENCE*, dl. 297, 2002

181

De Larsen B-ijsplaat, zoals afgebeeld op de foto hieronder, was ruim 240 km lang en bijna 50 kilometer breed.

De ijsplaat vertoont een patroon van donkere vlekken, die net zo zwart zijn als het omringende zeewater. Het lijkt alsof op die plaatsen al het oceaanwater onder de plaat zichtbaar is, maar dat is verbeelding. Het zijn plassen smeltwater die zich boven op de ijsplaat verzamelen.

Larsen-B ijsplaat

BRON: J.KAISER, *SCIENCE*, 2002

SATELLIETOPNAME VAN DE LARSEN-B IJSPLAAT, 31 JANUARI 2002

17 FEBRUARI 2002

Wetenschappers hadden gedacht dat deze ijsplaat nog tenminste een eeuw stabiel zou blijven, zelfs bij opwarming van de aarde. Op 31 januari 2002 begon de plaat echter uiteen te vallen en binnen 35 dagen was hij volledig uiteengevallen. Het grootste verlies vond zelfs in slechts twee dagen tijd plaats. Wetenschappers waren verbluft: hoe kon dit zo snel gebeuren? Ze deden nieuw onderzoek om erachter te komen waarom ze er zover naast hadden gezeten.

Het bleek dat er een verkeerde aanname was gedaan over het smeltwater boven op de ijsmassa. De gedachte was dat dit water weer bevroor wanneer het in het ijs zakte. Nu is echter duidelijk dat het water gewoon wegzakt en de ijsmassa in een gatenkaas verandert.

BRON: MODIS-BEELDEN, AFKOMSTIG VAN NASA'S TERRA SATELLIET

23 FEBRUARI 2002

5 MAART 2002

Toen de op zee gelegen ijsplaat verdwenen was, begon het landijs daarachter te schuiven en in zee te vallen. Ook dit was een onverwachte gebeurtenis. Er zijn hieruit belangrijke gevolgtrekkingen te maken, omdat door het smelten van landijs (of het nu gaat om berggletsjers of om landijs op Antarctica of Groenland) het zeeniveau stijgt.

Dit is een van de redenen dat de zeespiegel wereldwijd is gestegen en zal blijven stijgen, mits we de opwarming van de aarde snel een halt toeroepen.

AFKALVEND IJSFRONT VAN DE
YAHTSE GLETSJER, WRANGELL-
ST. ELIAS NATIONAL PARK,
ALASKA, 1995

Veel bewoners van laaggelegen eilanden in de Pacific hebben hun huizen al moeten verlaten wegens het stijgende zeewater.

VLOED IN FUNAFUTI, TUVALU, POLYNESIË

De Theems die door Londen stroomt is een getijdenrivier. Stormen veroorzaakten de afgelopen decennia door hogere zeewaterstanden steeds meer schade. Daarom heeft de stad vijfentwintig jaar geleden deze waterkering gebouwd, die gesloten kan worden.

De grafiek hieronder toont hoe vaak Londen de waterkering de laatste jaren heeft moeten sluiten. De stad heeft, voor de jaren dat de kunstwerken er nog niet lagen, uitgerekend wat de frequentie zou zijn geweest. In het resulterende plaatje zit een patroon zoals te vinden is in vele andere grafieken die getuigen van toenemende effecten van de opwarming van de aarde wereldwijd.

De stijging van de zeespiegel zou echter nog veel erger kunnen zijn en sneller kunnen verlopen, al naar gelang wat er gebeurt op Antarctica en Groenland – en de keuzes die wij maken of juist niet maken ten aanzien van de opwarming van de aarde.

SLUITFREQUENTIE THEEMS WATERKERING (AANTAL KEREN/JR.)

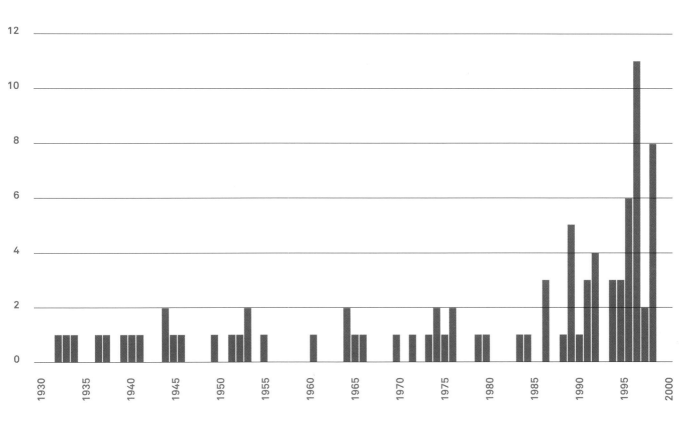

BRON: UK ENVIRONMENT AGENCY

Laten we nu eens kijken naar de totale hoeveelheid ijs op Antarctica en Groenland die in gevaar is.

De Oost-Antarctische ijsplaat is de grootste ijsmassa op aarde. Gedacht werd dat deze nog altijd in omvang toenam, maar volgens twee nieuwe studies uit 2006 neemt het totale ijsvolume in Oost-Antarctica juist af. Ook glijdt 85 procent van de gletsjers sneller naar zee. De luchttemperaturen blijken sneller gestegen te zijn dan waar ook ter wereld. Wetenschappers hebben nog geen verklaring kunnen vinden voor deze verrassende bevindingen.

Nog altijd wordt aangenomen dat Oost-Antarctica veel langer stabiel zal blijven dan de West-Antarctische ijsplaat, die tegen de toppen van eilanden aanligt. Dit geologische feit is om twee redenen van belang. Ten eerste: het gewicht van het ijs rust op land. In tegenstelling tot drijvende ijsmassa's heeft dit gewicht nog geen zeewater verplaatst. Dat gebeurt wel als de ijskap smelt of het houvast op het land verliest en de zee inschuift. Wereldwijd zou dan de zeespiegel zo'n zes meter stijgen. Een tweede belangrijk aspect is dat er onder grote delen van deze ijskap oceaanwater doorstroomt. En nu het oceaanwater opwarmt hebben wetenschappers significante en alarmerende structuurveranderingen waargenomen aan de onderkant van de ijskap.

Het toeval wil dat de Groenlandse ijskap in oppervlakte en volume praktisch gelijk is aan de West-Antarctische ijsplaat. Dat betekent dat ook het smelten of uiteenvallen en in zee glijden van deze ijsmassa een wereldwijde stijging van de zeespiegel van zo'n zes meter zou veroorzaken.

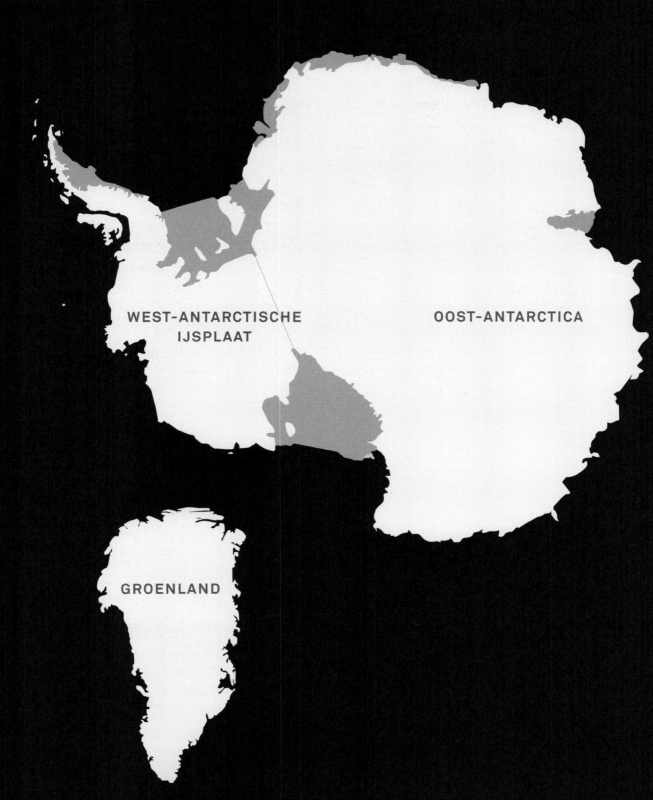

WEST-ANTARCTISCHE IJSPLAAT

OOST-ANTARCTICA

GROENLAND

Deze foto's van Groenland laten enkele van de ingrijpende veranderingen zien die daar op het ijs gaande zijn. In 2005 vloog ik over Groenland en zag met eigen ogen de plassen smeltwater die een groot ijsoppervlak bedekten. Zo'n gebied is te zien op de foto linksonder, die onlangs gemaakt is door een vriend, dr. Jim McCarthy van de Harvard University. Dergelijke plassen hebben zich altijd al op het ijs gevormd, maar nu zijn het er veel meer en het totale areaal is veel groter. Dit is belangrijk, want McCarthy en andere wetenschappers zagen vergelijkbare meertjes op de Larsen-B in de periode voorafgaand aan de plotselinge schokkende verdwijning van deze ijsplaat.

Men gelooft nu dat op Groenland net als op het Antarctisch schiereiland het smeltwater helemaal door het ijs naar beneden zakt. Daarbij ontstaan diepe gletsjerspleten en verticale tunnels die wetenschappers 'gletsjermolens' noemen.

Wanneer het water de onderkant van de ijslaag bereikt, fungeert het op de harde ondergrond als smeermiddel. De ijsmassa wordt instabiel en gevreesd moet worden dat deze sneller de oceaan in zal schuiven.

Hieronder is in beeld gebracht hoe het smeltwater door spleten en gletsjermolens het ijs van Groenland binnendringt. De foto rechts toont een gletsjermolen: een grote woeste stroom van zoet smeltwater die zich rechtstreeks een weg baant naar de ondergrond van het ijspakket. Kijk voor een indruk van de grootte ook naar de onderzoekers boven in beeld.

SMELTWATERMEERTJES, GROENLAND, 2005

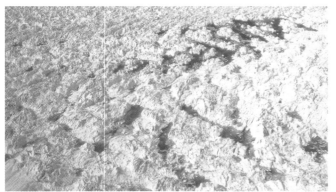

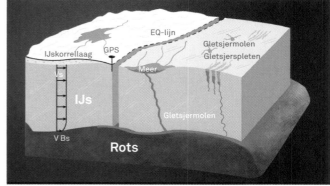

EEN SMELTWATERSTROOM
STORT ZICH VANAF DE IJSPLAAT
IN DE DIEPTE, GROENLAND, 2005

In zekere mate smolt er tijdens het warmere seizoen altijd al ijs, en ook in het verleden hebben zich gletsjermolens gevormd. Toch was dat niets vergeleken bij wat er nu gebeurt. De laatste jaren is het smeltproces in een gevaarlijke versnelling geraakt.

In 1992 constateerden wetenschappers het optreden van afsmelting op Groenland in de rood gemarkeerde gebieden.

1992

Tien jaar later, in 2002, was de situatie
sterk verslechterd.

En in 2005 bleek het nog weer veel sneller te zijn gegaan.

2002

2005

Als al het ijs op Groenland zou smelten of in stukken de zee in zou glijden, of als dat zou gebeuren met de helft van de ijsmassa op Groenland en de helft van het ijs op Antarctica, dan zou de zeespiegel wereldwijd met 5,5 tot 6 meter stijgen.

David King, adviseur van Tony Blair, is een van de wetenschappers die gewaarschuwd heeft voor de mogelijke gevolgen van grote veranderingen in deze ijsplaten.

In 2004 zei hij op een conferentie in Berlijn:

DE KAARTEN VAN DE OPNIEUW GETEKEND

SIR DAVID KING, WETENSCHAPPELIJK ADVISEUR
VAN HET VERENIGD KONINKRIJK

WERELD ZULLEN
MOETEN WORDEN.

Dit is wat er met Florida zou gebeuren.

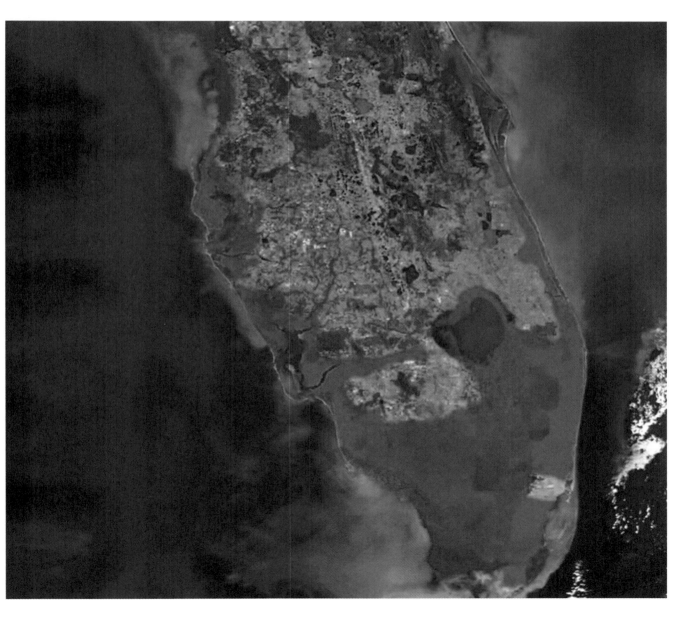

Dit is wat er met de Baai van San Francisco zou gebeuren.

Dit is wat er met Nederland zou gebeuren, een van de laaggelegen landen waarvoor een stijgende zeespiegel absoluut vernietigend zou zijn.

De Nederlanders, met hun lange ervaring in het beheersen van de zee, hebben al een architectenwedstrijd georganiseerd voor het ontwerpen van drijvende huizen. Een daarvan is hier rechts te zien.

**DRIJVENDE HUIZEN,
AMSTERDAM, NEDERLAND, 2000**

Dit is wat er zou gebeuren met Beijing en omgeving. Meer dan twintig miljoen mensen zouden moeten worden geëvacueerd.

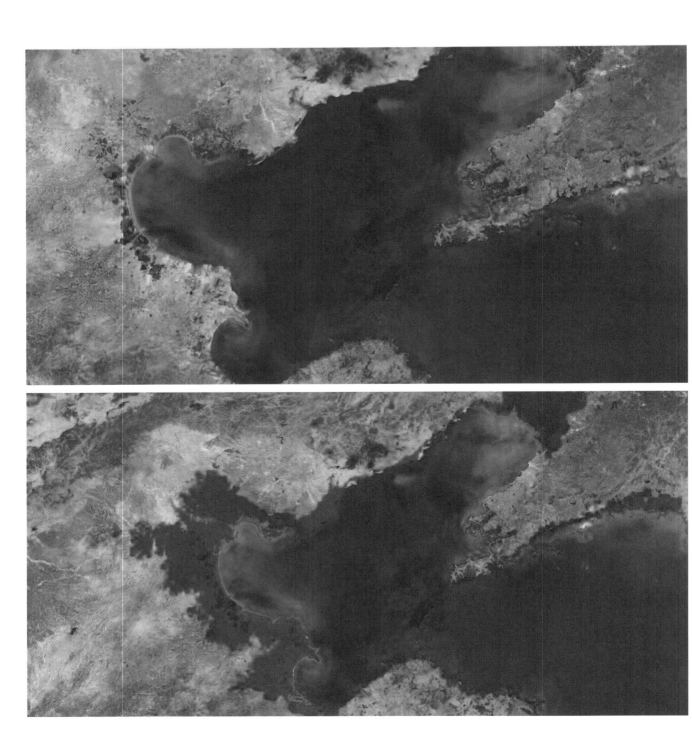

In Shanghai en omgeving zouden meer dan veertig miljoen mensen moeten verhuizen.

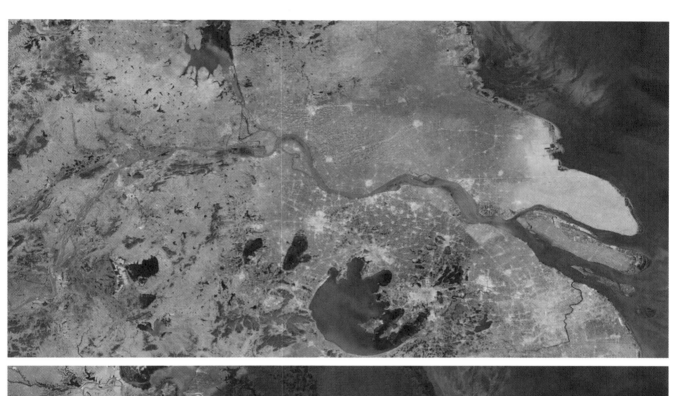

In Calcutta en Bangladesh zouden zestig miljoen mensen door het water verjaagd worden.

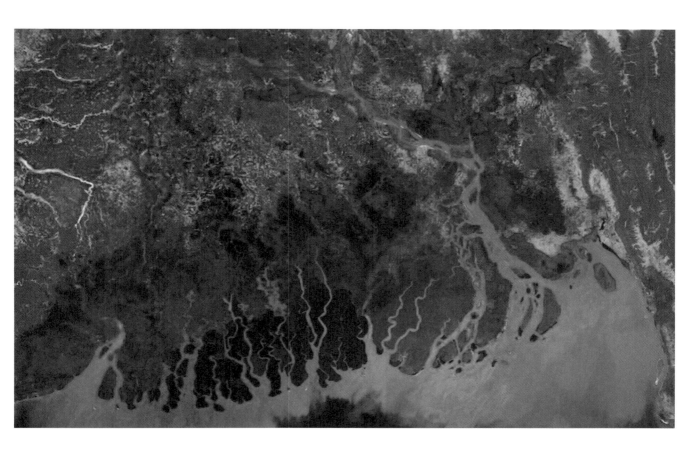

Het World Trade Center Memorial in Manhattan wil onder meer uitdrukking geven aan de vastberadenheid van de vs om het land nooit meer zoiets vreselijks te laten overkomen.

De afbeelding rechts laat echter zien wat er met Manhattan zou gebeuren als het zeewater wereldwijd zo'n zes meter zou stijgen. De plek van het World Trade Center Memorial zou onder water staan.

WORLD TRADE
CENTER MEMORIAL

Zouden we ons ook niet op andere ernstige dreigingen voorbereiden dan alleen op terrorisme?
Misschien moeten we onze aandacht nu ook op andere gevaren richten.

WORLD TRADE
CENTER MEMORIAL

In dienst van de publieke zaak

De Amerikaanse constitutionele democratie heeft nog altijd de potentie om de doorsneeburger de waardigheid en luister van zelfbestuur te verlenen.

Mijn vader was mijn held. Ik keek tegen hem op en wilde zijn zoals hij. Dat was, zoals voor zoveel andere jongens die in de voetsporen van hun vader treden, de reden dat ik al op jonge leeftijd voor een carrière in de ambtelijke dienst koos. Net als mijn vader.

Toen ik in 1948 geboren werd, had Albert Gore sr. al tien jaar in het Congres gediend. Hij werd in de Senaat gekozen toen ik vier was en ging daar pas weg toen ik van de middelbare school kwam en in het Amerikaanse leger in Vietnam diende. In totaal zat hij 32 jaar in het Huis van Afgevaardigden en de Senaat. Mijn vader was een krachtige, dappere en integere man met visie. Als jongen dacht ik: waarom zou ik níet willen zijn zoals hij?

Later gebeurden er echter twee dingen die me op dit punt beïnvloedden. Om te beginnen maakte ik mee hoe mijn vader in 1970 werd verslagen toen hij zich herkiesbaar stelde voor de Senaat. Dat gebeurde voornamelijk vanwege zijn moedige oppositie tegen de Vietnam-oorlog, zijn steun voor het opheffen van rassenscheiding op scholen en voor kiesrecht, en vanwege zijn volharding in het overeind houden van constitutionele principes tegen de aanslagen die de regering-Nixon-Agnew daarop pleegde.

Daarnaast zag ik hoe politiek in de vs veranderde en afdreef van de politiek zoals ik die in mijn jeugd had ervaren. Negatieve tv-spotjes brachten bijvoorbeeld een lelijke en gemene toon in de politiek. Die trok me daardoor niet meer zo.

Na mijn diensttijd in Vietnam als legerjournalist kwam ik thuis met het gevoel mijlen ver af te staan van de politieke interesse van mijn vroege kinderjaren. Ik dacht dat politiek wel het laatste zou zijn waar ik mijn leven nog aan zou wijden. Ik begon daarom als journalist bij de *Nashville Tennessean*.

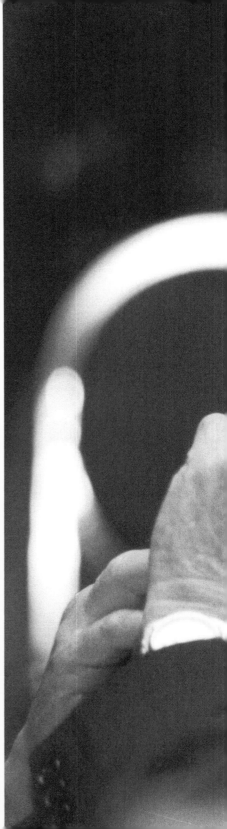

Het meest trof me de duidelijke opwinding bij mijn activiteiten om de democratie te laten functioneren zoals dat volgens mij zou moeten: luisteren naar mensen, hun ideeën bespreken en dan proberen met die ideeën in het beleid iets zinnigs te doen.

Na vijf jaar journalistieke berichtgeving over maatschappelijke zaken begon mijn belangstelling voor het democratische proces weer aan te wakkeren. Zo met mijn neus boven op de politiek (zij het nu vanuit een afstandelijke gezichtshoek) kreeg ik er langzaam maar zeker weer zin in, maar dan wel op mijn eigen manier.

Toen in 1976 het congreslid van mijn thuisdistrict tot ieders verbazing aankondigde terug te treden, stapte ik in de race en won nipt de verkiezing in het vierde district van Tennessee.

In die tijd kwam het winnen van de Democratische voorverkiezing in Mid-den-Tennessee neer op het winnen van de algemene verkiezingen. Er waren daar zo weinig Republikeinen, dat ze voor die algemene verkiezingen niet eens een kandidaat nomineerden. Na de voor-verkiezingen in augustus begon ik mijn koers als Congreslid uit te zetten, ook al zou het nog tot januari duren voordat ik als zodanig beëdigd werd. Ten eerste bezocht ik Oak Ridge National Laboratory om me daar dagenlang onder te dompelen in de laatste onderzoeksgegevens over energie en milieu. Ook toen al hadden deze onderwerpen voor mij prioriteit. Daarna hield ik een serie ontmoetingen

(ik noemde het 'open ontmoetingen' en daar had ik er heel veel van) in de 25 ge-westen die me net hadden gekozen als hun afgevaardigde. Het meest trof me de voelbare opwinding bij mijn activiteiten om de democratie te laten werken zoals het volgens mij zou moeten: luisteren naar mensen, hun ideeën bespreken en dan proberen met die ideeën in het beleid iets zinnigs te doen.

Deze stimulerende ervaring was nieuw voor me. Ik voelde weer die impuls uit mijn jeugd, maar nu ging dat gevoel veel dieper. Het was intens en echt. Ik vond het heerlijk.

Er zijn heel wat redenen voor cynisme over het huidige functioneren van de Amerikaanse democratie en over sommi-ge kandidaten en gekozen functionaris-sen. Ik begrijp de moedeloosheid over het optreden van de Amerikaanse regering, vooral de laatste jaren. Toch mogen we niet de kracht en veerkracht van ons be-stel uit het oog verliezen. De Amerikaan-se constitutionele democratie heeft nog altijd de potentie om de doorsneeburger de waardigheid en luister van zelfbestuur te verlenen. Om Churchills beroemde uitspraak te citeren: 'Democratie is de slechtste vorm van bestuur, op alle an-dere na die we hebben geprobeerd.'

Al viert met zijn ouders de herverkiezing van zijn vader in de Senaat, Nashville, Tennessee, 1958

Al Gore, met vrouw en dochter, kondigt zijn eerste verkiezingscampagne voor het Congres aan, Carthage, Tennessee, 1976

Als het werkt op de manier zoals de grondleggers van ons bestel het bedoelden, dan kan zelfbestuur een onbeschrijflijk goed en harmonieus gevoel teweegbrengen dat geen cynicus ooit zal kunnen wegnemen.

Door mijn vader aan het werk te zien en door mijn latere interactie met de inwoners van mijn kiesdistrict en mijn werk als senator en vice-president leerde ik veel over de Amerikaanse democratie. Het belangrijkste daarvan is dat de geest van vrijheid, die een inspiratie vormde voor Thomas Paine, Patrick Henry, onze grondleggers en de ware vaderlanders van elke Amerikaanse generatie, altijd aanwezig is en slechts wacht op de vonk die haar doet ontvlammen.

Sinds ik in 2001 Het Witte Huis verliet heb ik ook geleerd dat er meer manieren zijn om je voor de samenleving verdienstelijk te maken dan door te dingen naar een regeringsambt en te dienen als gekozen functionaris. Ik heb dat natuurlijk altijd al geweten, maar persoonlijk ben ik de voldoening gaan waarderen die je als burger kunt vinden als je moeite doet om de democratie beter te laten werken. Duidelijk zeggen voor welke kwesties en uitdagingen we staan en beschrijven welke oplossingen voorhanden zijn, is een vorm van dienstbaarheid aan de samenleving, die onze grondleggers essentieel noemden voor het voortbestaan van

de democratie. James Madison schreef dat 'een goed geïnformeerde burgerij' het fundament is van het Amerikaanse constitutionele bestel. Ik had, geloof ik, niet verwacht dat ik er zo van zou genieten om me als 'burger' verdienstelijk te maken.

Wanneer ik zo goed als ik kan een kwestie aan de orde stel die ik beschouw als een belangrijke waarheid en vervolgens meehelp actie te ondernemen, dan heb ik daarbij hetzelfde gevoel als in 1976 toen ik door mijn nieuwe kiesdistrict in Midden-Tennessee trok. Dat is echt het gevoel dat ik nastreef door dit boek te schrijven.

We worden geconfronteerd met een niet eerder vertoonde, enorme aanvaring tussen onze beschaving en de aarde.

STORTPLAATS IN MEXICO CITY,
MEXICO, 1996

De relatie tussen onze beschaving en het ecosysteem van de aarde is vergaand en radicaal veranderd door het bijeenkomen van drie factoren.

De eerste factor is de bevolkingsexplosie, ook al is er op dit punt in velerlei opzicht succes geboekt. Sterfte- en geboorte-cijfers dalen overal ter wereld en gezin-nen zijn gemiddeld kleiner geworden. Deze ontwikkelingen, waarop we hoop-ten, kwamen veel sneller dan een paar decennia geleden werd gedacht. Des-ondanks is de wereldbevolking zo sterk gegroeid dat nog steeds van een 'explosie' gesproken mag worden, en dit blijft onze relatie met de planeet veranderen.

Een blik op de bevolkingsgroei in de ge-schiedenis maakt duidelijk dat er in de laatste tweehonderd jaar sprake is van een complete breuk met het patroon dat in de millennialange geschiedenis van de mens overheerste. Vanaf het verschijnen van onze soort, volgens de wetenschap zo'n 160.000 tot 190.000 jaren geleden, tot aan de tijd van Jezus Christus en Ju-lius Caesar, groeide de populatie tot een kwart miljard mensen. Bij het ontstaan van de Verenigde Staten, in 1776, waren er een miljard mensen op aarde. Tegen de tijd van de geboortegolfgeneratie na de Tweede Wereldoorlog waarvan ook ik deel uitmaak passeerde de wereldbevolking net de drempel van twee miljard mensen. Vervolgens heb ik de groei tot zesenhalf miljard meegemaakt, en mijn generatie zal de wereldbevolking nog zien doorstij-gen naar meer dan negen miljard men-sen.

De conclusie, geïllustreerd in de grafiek, is kort en krachtig: het vergde meer dan 10.000 generaties om de menselijke populatie op een omvang van twee mil-jard te brengen. Daarna was er in de tijd van één mensenleven – ons leven – een pijlsnelle stijging van twee naar negen miljard.

We hebben de morele verplichting ons rekenschap te geven hoe deze enorme verandering de relatie tussen onze soort en de planeet beïnvloedt.

BEVOLKINGSGROEI GEDURENDE DE GESCHIEDENIS VAN DE MENSHEID

Eerste moderne mens

| 160.000 v.Chr. | 100.000 v.Chr. | 100.000 v.Chr. | 7000 v.Chr. | 6000 v Chr. | 5000 v.Chr. | 4000 v. Chr. |

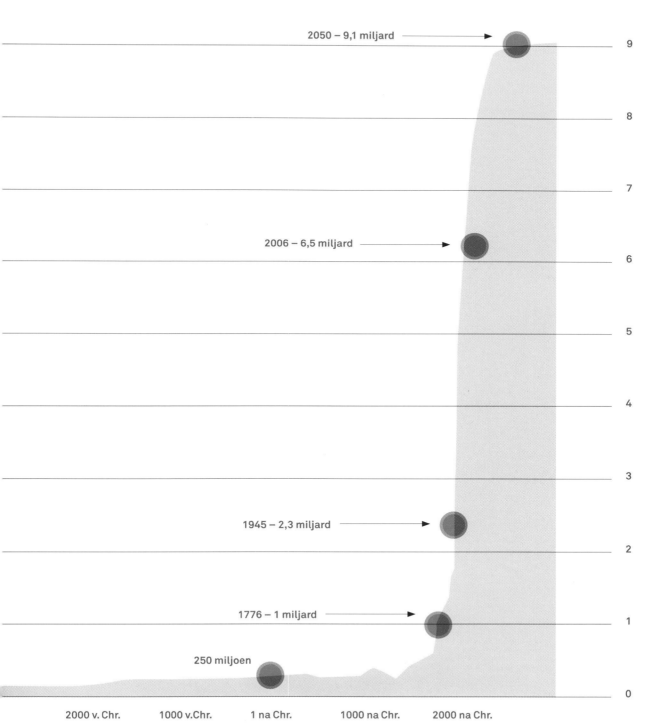

2050 – 9,1 miljard

2006 – 6,5 miljard

1945 – 2,3 miljard

1776 – 1 miljard

250 miljoen

Aantal miljarden mensen

9

8

7

6

5

4

3

2

1

0

2000 v. Chr.   1000 v.Chr.   1 na Chr.   1000 na Chr.   2000 na Chr.

De grootste bevolkingstoename vindt plaats in ontwikkelingslanden, waar de meeste armoede in de wereld voorkomt.

HET SHINJUKU-DISTRICT VAN TOKYO, JAPAN, 1996

En het merendeel van de groei vindt plaats in steden.

Deze snelle bevolkingsgroei jaagt de vraag naar voedsel, water, energie en alle andere natuurlijke hulpbronnen aan. Dit betekent een enorme druk op kwetsbare gebieden, in het bijzonder op tropische regenwouden.

HOUTKAP, FORESTA NACIONAL TAPAJOS, BRAZILIË, 2004

RESTANTEN NA BOSKAP, NABIJ FORKS, WASHINGTON, 1999

De manier waarop we met bossen omgaan is een kwestie van politiek.

HAÏTI

Dit is de grens tussen Haïti en de Dominicaanse Republiek. Haïti voert een bosbeleid, de Dominicaanse Republiek voert een ander bosbeleid.

DOMINICAANSE REPUBLIEK

Vooral het Amazonegebied gaat gebukt onder verwoesting. Hier zijn twee satellietbeelden, met een tussentijd van 26 jaar genomen boven de Braziliaanse deelstaat Rondonia.

RONDONIA, BRAZILIË, 1975

Veel bos wordt vernietigd door afbranden. Bijna dertig procent van de hoeveelheid CO_2 die jaarlijks in de atmosfeer wordt gebracht, is afkomstig van bosbranden waarmee mensen landbouwgrond voor eigen gebruik vrijmaken en van houtvuurtjes om op te koken.

LANDBOUWWERKER BRANDT
EEN STUK REGENWOUD PLAT
OM GROND VRIJ TE MAKEN,
RONDONIA, BRAZILIË, 1988

Bosbranden komen ook steeds vaker voor nu door hogere temperaturen de grond uitdroogt. Warmere lucht veroorzaakt ook meer bliksem. De grafiek hieronder toont de gestage toename van het aantal grote bosbranden in Noord- en Zuid-Amerika in de afgelopen decennia. Deze tendens doet zich voor op álle continenten.

AANTAL GROTE BOSBRANDEN IN NOORD- EN ZUID-AMERIKA IN DE AFGELOPEN 50 JAAR

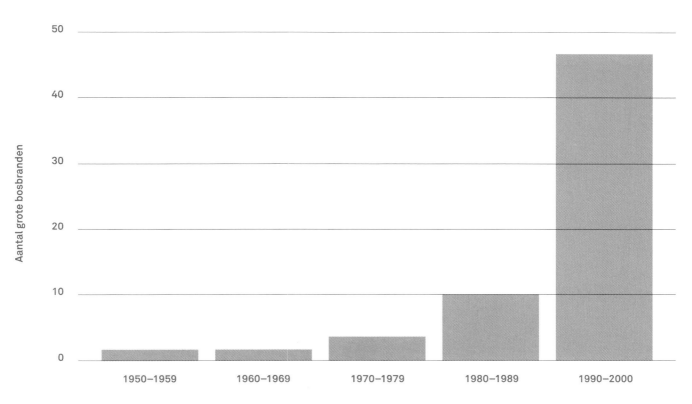

BRON: MILLENNIUM ECOSYSTEM ASSESSMENT

De wereld bij nacht. Dit is een compilatie van foto's die in een periode van zes maanden zijn genomen door een Amerikaanse defensiesatelliet. Het licht van de steden wordt in wit weergegeven. De lichtblauwe gebieden laten de enorme vissersvloten zien die 's nachts actief zijn, met name voor de kusten van Azië en Patagonië. In alle roodgekleurde delen van de aarde hebben branden gewoed. Afrika valt daarbij op, mede doordat men daar veel op houtvuur kookt. In de gele gebieden branden de gasfakkels van olievelden. De Siberische olievelden lopen meer in het oog dan die in de Perzische Golf, waar tegenwoordig veel meer gas wordt opgevangen in plaats van verbrand.

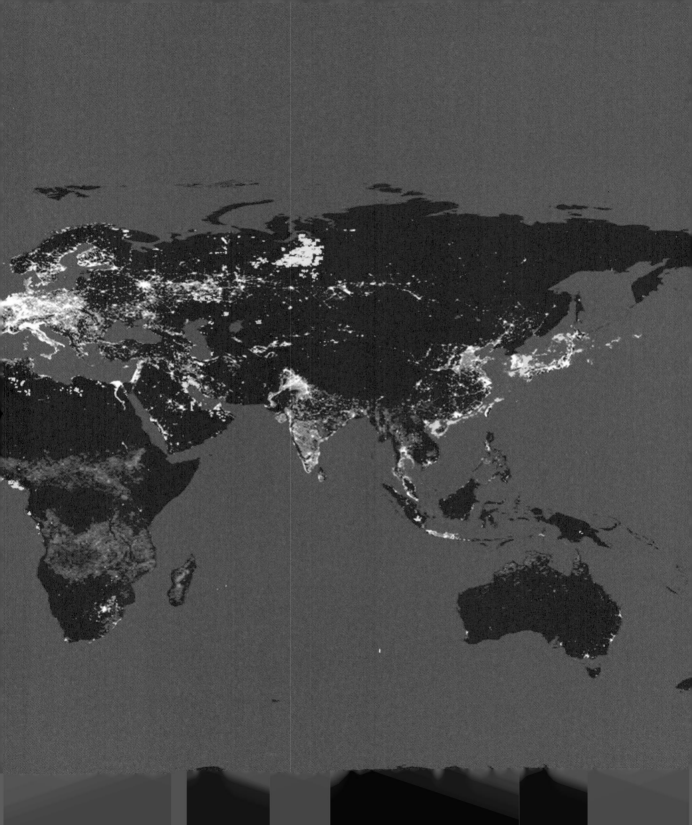

En dit brengt me bij de tweede factor die onze relatie met de aarde zo veranderd heeft: de wetenschappelijke en technologische revolutie.

De vooruitgang op wetenschappelijk en technologisch gebied heeft ons geweldige verbeteringen gebracht, onder andere op het terrein van de geneeskunde en de communicatie. Naast alle voordelen hebben we echter ook veel onverwachte neveneffecten zien optreden.

De nieuwe mogelijkheden die we hebben gekregen gaan niet altijd vergezeld van nieuwe wijsheid in het gebruik ervan, vooral niet wanneer we onze grotere technologische vermogens inzetten om oude, moeilijk te veranderen gewoonten gedachteloos voort te zetten. De eenvoudige formules hieronder geven aan wat er kan gebeuren als je op de oude voet doorgaat, waarbij je veel krachtigere technologie inzet zonder bedacht te zijn op de volkomen nieuwe gevolgen daarvan.

$$\text{Oude gewoonten} + \text{Oude technologie} = \text{Voorspelbare gevolgen}$$

ASTRONOMISCH RADIO-OBSERVATORIUM,
SOCORRO, NIEUW MEXICO

Oude
gewoonten

+ = Ingrijpende
wijziging
Nieuwe van de gevolgen
technologie

Hier volgen wat voorbeelden van hoe deze formules werken.

Oorlogvoering is een oude gewoonte. De gevolgen van een oorlog die werd gevoerd met de technologie van speren en zwaarden, pijl en boog of musketten en geweren waren verschrikkelijk, maar voorspelbaar.

In 1945 veranderde de gloednieuwe nucleaire technologie dat echter volledig.

Daarom hebben we getracht onze oude gewoonte van 'oorlog' in dit nieuwe perspectief te zien en te veranderen. We hebben daarin enige vooruitgang geboekt – we voerden een Koude Oorlog in plaats van een grootscheepse nucleaire oorlog – maar hier is nog heel veel werk te doen.

BOVEN: VAASSCHILDERING: EEN GEVECHT TUSSEN HOPLIETEN, CA, 600 V. CHR.
ONDER: SCHILDERIJ VAN DE SLAG VAN CHIPPEWA, 1812

BOVEN: GEVECHT TIJDENS EEN KRUISTOCHT, CA. 1250
ONDER: DUITSE SOLDATEN TIJDENS DE EERSTE WERELDOORLOG, 1914

KERNPROEF,
NEVADA, 1957

Met het gebruik van de aarde voor ons levensonderhoud verliep het op eenzelfde manier. Gedurende het grootste deel van onze geschiedenis hebben we daarbij vrij basale technieken gebruikt, zoals het ploegen, irrigeren en graven. Maar zelfs deze eenvoudige technieken zijn nu veel krachtiger geworden.

EEN BOER PLOEGT HET VELD IN PATTANI, THAILAND, 1966

EEN BOER KEERT HET HOOI,
IOWA, 2000

We hebben nu veel verdergaande mogelijkheden om het aardoppervlak te veranderen. Elke menselijke activiteit wordt nu uitgevoerd met de inzet van veel krachtigere hulpmiddelen, en vaak met onvoorziene gevolgen.

KOPERMIJN (DAGBOUW),
CANNEA, MEXICO, 1993

Irrigatie was lange tijd een wondermiddel voor de mensheid. Nu zijn we echter in staat om enorme rivieren te verleggen, volgens onze blauwdruk en niet die van de natuur.

Als we zonder op de natuur te letten te veel water aftappen, bereiken rivieren soms de zee niet meer.

DE COLORADO-RIVIER, GEZIEN IN STROOMOPWAARTSE
RICHTING VANUIT HET UITZICHTSPUNT TE HITE,
COLORADO-RIVIER, ARIZONA, 2002

DE COLORADO-RIVIER, GEZIEN IN STROOMOPWAARTSE
RICHTING VANUIT HET UITZICHTSPUNT TE HITE,
COLORADO-RIVIER, ARIZONA, 2003

De voormalige Sovjet-Unie tapte water af van twee machtige Centraal-Aziatische rivieren die het Aralmeer voedden. Het water van deze twee rivieren – de Amu Darya en Syr Darya – werd gebruikt voor het bevloeien van katoenvelden.

Toen ik daar een paar jaar geleden heenging, zag ik een vreemd tafereel: een enorme vissersvloot achtergebleven in het zand, met in geen velden of wegen water te bekennen. Deze foto toont een deel van die vloot en het kanaal dat de visserij-industrie nog wanhopig probeerde te graven in een poging contact te houden met de terugtrekkende waterlijn.

GESTRANDE VISSERSSCHEPEN,
ARALMEER, KAZAKSTAN, 1990

Het gehele Aralmeer is nu feitelijk verdwenen.

In de parabel van het Aralmeer zit een eenvoudige boodschap: fouten in onze omgang met de natuur kunnen nu veel grotere, onbedoelde gevolgen hebben omdat veel van onze nieuwe technologieën ons nieuwe macht geven zonder dat we daar automatisch nieuwe wijsheid bij krijgen.

Sommige van onze nieuwe technologieën gaan de menselijke maat ver te boven, zoals deze foto illustreert.

KOLENGESTOOKTE
ENERGIECENTRALE,
FERRYBRIDGE, ENGELAND

SAMENGESTELDE
SATELLIETOPNAME VAN DE
AARDE BIJ NACHT, 1994-1995

Door onze nieuwe technologieën en onze bevolkingsomvang is de mensheid een natuurkracht geworden.

Wie de meeste technologie bezit, heeft ook de grootste morele verplichting deze verstandig te gebruiken. En ook dit is een politieke kwestie. Beleid telt.

Hieronder is te zien in welke mate landen of regio's op aarde bijdragen aan de mondiale opwarming. De vs zijn verantwoordelijk voor meer broeikasgasvervuiling dan Zuid-Amerika, Afrika, het Midden-Oosten, Australië, Japan en Azië bij elkaar.

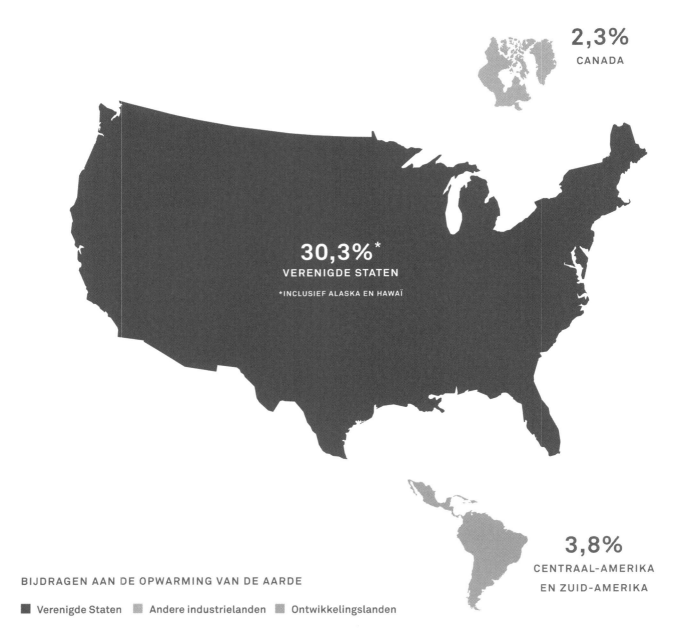

2,3%
CANADA

30,3%*
VERENIGDE STATEN
*INCLUSIEF ALASKA EN HAWAÏ

3,8%
CENTRAAL-AMERIKA
EN ZUID-AMERIKA

BIJDRAGEN AAN DE OPWARMING VAN DE AARDE

■ Verenigde Staten ■ Andere industrielanden ■ Ontwikkelingslanden

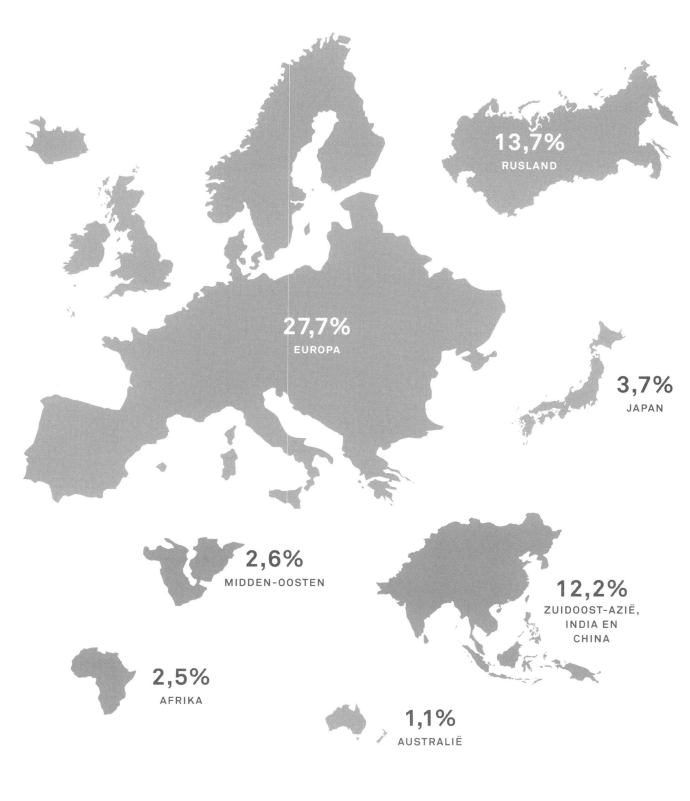

13,7%
RUSLAND

27,7%
EUROPA

3,7%
JAPAN

2,6%
MIDDEN-OOSTEN

12,2%
ZUIDOOST-AZIË,
INDIA EN
CHINA

2,5%
AFRIKA

1,1%
AUSTRALIË

Wanneer je de kooldioxide-uitstoot per hoofd van de bevolking in China, India, Afrika, Japan, de EU en Rusland vergelijkt met die in de VS (zie de grafiek rechtsboven), dan blijken de VS ver bovenaan in de ranglijst te staan. Natuurlijk is ook de bevolkingsgrootte van belang. Houd je daar rekening mee, dan ontstaat het beeld zoals in de grafiek rechtsonder. De rol van China is dan duidelijk groter (en groeiende). Hetzelfde geldt voor Europa, maar de Amerikaanse uitstoot is ook in deze vergelijking nog altijd veel groter dan die van anderen.

DE CO_2-EMISSIEHANDEL

Toen in de jaren tachtig van de vorige eeuw de gevolgen van zure regen in de VS merkbaar werden, voerde het Congres een innovatief 'cap-and-trade system' in om de emissies van de 'hoofdschuldige' stof zwaveldioxide (SO_2) te beteugelen. Dit systeem werkt met een emissieplafond voor SO_2 en – binnen die emissieruimte – de mogelijkheid tot handel in emissierechten. Met zo'n benadering, die de kracht van de marktwerking benut, kan ook de CO_2-uitstoot sneller teruggedrongen worden. De Europese Unie heeft het innovatieve model van de VS overgenomen en werkt aan het efficiënt laten functioneren van dit systeem. Terwijl in de VS het Congres nog geen besluit heeft genomen over een federaal 'cap-and-trade system' voor CO_2, is er in de private sector al een kooldioxidehandel opgezet en in werking.

De Chicago Climate Exchange (CCX) is een markt die op eigen benen zal staan, vanuit de simpele veronderstelling dat het terugdringen van kooldioxide-emissies waardevol is, niet alleen uit idealisme, maar ook omdat het geld oplevert.

Uit het feit dat vooraanstaande bedrijven als Ford, Rolls-Royce, IBM en Motorola aan het experiment deelnemen, blijkt dat een aantal prominente zakenmensen de noodzaak ziet om greep te krijgen op klimaatverandering en buiten geijkte kaders nadenkt over manieren om dit te realiseren. De CCX stelt zich onder meer tot doel te onderzoeken op welke wijze een kooldioxidemarkt het best functioneert.

Zo is alvast het voorwerk gedaan indien – of wanneer, want velen denken dat het slechts een kwestie van tijd is – de regering besluit om een systeem van emissiehandel te starten.

Deelname aan de CCX geschiedt nu nog op vrijwillige basis, waarbij leden beloven de uitstoot van broeikasgassen te verminderen. Op het moment dat de emissies van elke deelnemer zijn omgezet in verhandelbare rechten, zal de uitwisseling in wezen gaan verlopen zoals op elke andere financiële markt. Een grotere emissiereductie dan in de doelstellingen is vastgelegd levert een deelnemer verkoopbare kooldioxiderechten op. Wie er niet in slaagt de emissiedoelen te halen zal rechten van anderen moeten kopen.

Vraag en aanbod bepalen de waarde van emissierechten. Vooralsnog is de prijs laag vanwege een ruim aanbod door deelnemers die hun emissies tot voorbij de beoogde reductieniveaus hebben teruggedrongen. In Europa, waar deze al verder ontwikkeld is, is met deze handel veel meer geld gemoeid. Dat komt omdat in Europa de toegestane kooldioxide-emissies van overheidswege worden opgelegd.

Ook in andere delen van de wereld ontwikkelt zich een emissiehandel. Zo zijn de Montreal Commodity Exchange en de Indiase Mumbai Commodity Exchange bezig CO_2-emissiehandel in het leven te roepen. Het ultieme idee van een sluitende wereldwijde kooldioxidemarkt die de mogelijkheden van alle handelsmarkten verenigt komt door dit soort ontwikkelingen dichterbij.

In de VS is op het niveau van de staten al vooruitgang geboekt met het invoeren van opgelegde emissiehandel. Zo is er het Regional Greenhouse Gas Initiative van de noordoostelijke staten en zo wordt in Californië aan wetgeving gewerkt. Vooralsnog vindt daadwerkelijke handel alleen in het kader van het private CCX-initiatief plaats.

Voor veel participerende bedrijven is deelname een manier om alvast ervaring op te doen met deze markt. Het is ook een goede stimulans om deel te nemen aan projecten die beogen de emissies terug te dringen. DuPont, een van de oprichters van de CCX, ziet als belangrijk winstpunt dat het de kans heeft de procedureregels voor de handel vorm te geven. Zelf heeft het bedrijf gedurende zijn CCX-deelname de energie-efficiëntie van zijn gebouwen verbeterd en de uitstoot bij productieprocessen verminderd.

Allerlei organisaties kunnen zich bij de CCX aansluiten. Onder de leden bevinden zich ook NGO's, gemeenten en universiteiten. De CCX wijst de weg naar een toekomst waarin verminderde uitstoot van broeikasgassen niet alleen milieuwinst maar ook financiële winst kan opleveren.

CO₂-UITSTOOT PER PERSOON

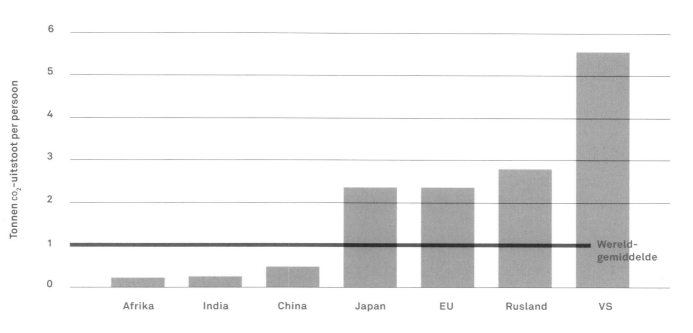

CO₂-UITSTOOT PER LAND/REGIO

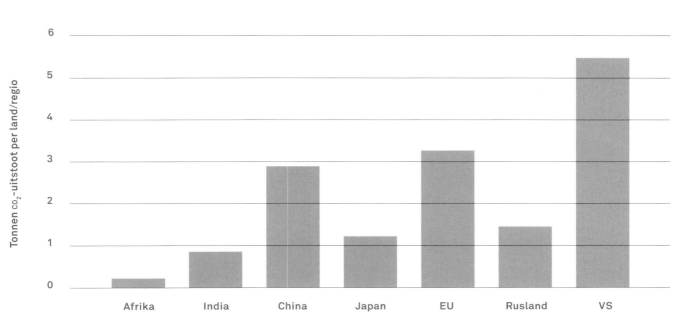

BRON: WORLD RESOURCES INSTITUTE
ONDERLIGGENDE GEGEVENSBRON: U.S. DEPARTMENT OF ENERGY, ENERGY INFORMATION ADMINISTRATION, INTERNATIONAL ENERGY ANNUAL 1999

De derde en laatste factor die de aanvaring van de mensheid met de planeet veroorzaakt, ligt in de fundamentele manier waarop we over de klimaatcrisis denken.

Het eerste probleem daarbij is dat het veel gemakkelijker is om er maar helemaal níet over na te denken. Een van de redenen waarom het niet voortdurend onze aandacht opeist kunnen we illustreren met een klassiek verhaal over een oud wetenschappelijk experiment. Een kikker die in een pot kokend heet water springt, springt er onmiddellijk weer uit omdat hij direct het gevaar herkent. Maar als diezelfde kikker in een pot lauw water zit dat langzaam aan de kook wordt gebracht, dan blijft hij – ondanks het gevaar – gewoon in het water zitten totdat hij wordt... gered.

(Ik vertelde dit verhaal aanvankelijk altijd met een ander einde, waarbij de kikker bleef zitten en gekookt werd. Bij veel lezingen kwam er altijd wel één luisteraar op me af om te zeggen hoe onaangenaam hij/zij getroffen was door het lot van de kikker, zodat ik uiteindelijk inzag dat het belangrijk was dat de kikker gered moest worden.)

DENIAL AIN'T JUST A

MARK TWAIN

De essentie van dit verhaal is natuurlijk dat ons 'collectieve zenuwstelsel', waarmee we dreigend levensgevaar kunnen herkennen, lijkt op dat van de kikker. Als een substantiële verandering in onze omgeving of onze leefomstandigheden slechts geleidelijk en langzaam optreedt, zijn we in staat stil te blijven zitten, zonder dat we de ernst van wat er met ons gebeurt tot ons doordringt, totdat het te laat is. Soms reageren we net als de kikker alleen op een schok, een dramatische en snelle verandering die wél alarmbellen doet rinkelen.

Als je het bekijkt op de schaal van een mensenleven, lijkt de opwarming van de aarde misschien een geleidelijk proces. Maar gezien vanuit de geschiedenis van de aarde voltrekt het zich met de snelheid van het licht. Het proces komt nu zelfs in zo'n versnelling, dat we al tijdens ons leven de 'belletjes' kunnen waarnemen die verraden dat het water aan de kook raakt.

Natuurlijk verschillen we ook van de kikker. Wij hoeven niet te wachten tot het kookpunt om te beseffen in welk gevaar we verkeren. En we hebben het vermogen om onszelf te redden.

RIVER IN EGYPT.

Mijn zus

Hoe beschrijf ik u mijn zus? Ze was lumineus. Charismatisch. Pittig. Scherpzinnig. Grappig. Ongelooflijk slim. En aardig.

In mijn jeugd was ze mijn speelkameraadje, ook al scheelden we tien jaar. En mijn beschermer. Wij, de twee kinderen van ons gezin, vormden een team. Of we nu door de gangen van het Fairfax Hotel renden of in Carthage de Caney Fork-rivier indoken, in mijn jeugd was zij degene die me als geen ander kende.

We waren beiden verzot op het Center Hill Lake, in de buurt van onze boerderij in Carthage. Daar leerde ze me waterskiën. Vaak gingen we met kano's de rivier op en dan voerden we lome gesprekken terwijl we voortpeddelden. Ze hield ook erg van de eendenjacht, met als extra sensatie dat ze wist dat mensen het ongebruikelijk vonden dat een jonge vrouw dat deed. Ze vond het leuk ongebaande paden te bewandelen.

Later, toen ze begin twintig was, werd Nancy – als een van de eerste twee vrijwilligers – actief bij het Peace Corps. Ze ging voor Bill Moyers en Sargent Shriver aan het werk om een bureau in Washington op poten te zetten. Ik was altijd trots op haar vanwege haar instinctieve gave om werk te vinden dat direct verbetering bracht in de levens van mensen.

Nancy was ook steeds mijn promotor. Tijdens mijn eerste campagne voor het Congres liet ze haar huis in Mississippi achter om maanden door te brengen in het moeilijkste deel van het district.

Mijn overwinning in die campagne heb ik goeddeels aan haar te danken. Ze spande zich in om mensen ervan te overtuigen dat ze op haar broertje moesten stemmen. Ze verdedigde me fel, was onvermoeibaar in het promoten en was directer dan ieder ander als ze me onderhanden nam wanneer ik dat verdiende.

Nancy beschikte over een speciale gratie, maar ook over rebelse karaktertrekken – zoals het roken van sigaretten. Ze begon ermee toen ze dertien jaar oud was en hield er niet meer mee op. Dat probeerde ze overigens wel, maar de tabak had haar in z'n greep. Wetenschappers zijn er inmiddels achter dat nicotine verslavender kan zijn dan heroïne. En hun onderzoeken tonen aan dat kinderen die al heel vroeg beginnen te roken er verreweg het moeilijkst weer vanaf komen.

In de jaren zestig lag er al een overheidsrapport van de directeur-generaal van de Nationale Gezondheidsdienst dat volslagen duidelijk maakte dat roken longkanker, longemfyseem en andere ziekten kan veroorzaken. Toch maakte de tabaksindustrie overuren opdat Amerikanen niet te veel waarde zouden hechten aan de wetenschappelijke gegevens en om twijfel te zaaien over de vraag of er echt reden was om je zorgen te maken.

Veel mensen die anders mogelijk de onaangename waarheid over roken en gezondheid volledig tot zich zouden hebben laten doordringen, werden nu in verleiding gebracht om het allemaal wat minder serieus op te vatten. Als er immers nog zoveel ernstige twijfel was, dan stond het eindoordeel misschien nog niet vast. Misschien was de wetenschap nog niet helemaal zeker van haar zaak.

Dus bleven er mensen doodgaan aan rokersziekten. In de veertig jaar na het verschijnen van het historische rapport van de directeur-generaal heeft het roken van tabak meer Amerikaanse slachtoffers gemaakt dan de Tweede Wereldoorlog.

De slimme en misleidende benadering die de tabaksindustrie gebruikte om mensen in verwarring te brengen over wat de wetenschap nu echt had aangetoond, fungeert als het model dat veel olie- en steenkoolmaatschappijen tegenwoordig in campagnes gebruiken. Ook met deze campagnes worden mensen in verwarring gebracht over wat de wetenschap zegt over de opwarming van de aarde. Ze vergroten kleine onzekerheden uit, om te suggereren dat er nog geen overeenstemming bestaat over de hoofdzaak.

Vraag doktoren en onderzoekers eens om je tot in de kleinste details een beschrijving te geven van het proces waardoor het roken van sigaretten tot longkanker leidt. Tot op de dag van vandaag

Nancy Gore Hunger, Nashville, Tennessee, 1964

zullen ze je alleen een globaal beeld kunnen schetsen en je vertellen dat ze er zeker van zijn dat er een dodelijk oorzakelijk verband bestaat. Maar als je maar lang genoeg doorzaagt over enkele kleinere details, zul je het punt bereiken waarop ze moeten zeggen nog niet precies te weten hoe dat verband precies werkt. Dat doet echter op geen enkele manier iets af van de realiteit van het probleem en het is cynisch en verkeerd om dergelijke punten van voorbehoud te gebruiken om mensen ervan te overtuigen dat het verband tussen het roken van sigaretten en kanker een grote leugen is. En net zo immoreel als het was dat de tabaksindustrie die tactiek na pakweg 1965 gebruikte, zo immoreel is het nu wanneer olie- en steenkoolmaatschappijen hetzelfde doen als het gaat om de opwarming van de aarde.

Nancy was mooi, levendig en sterk, maar longkanker bleek een te wrede tegenstander. Toen ik in 1983 voor het eerst iets hoorde over de diagnose, bezocht ik onmiddellijk het National Institutes of Health en sprak daar met vooraanstaande kankerspecialisten over de specifieke vorm van longkanker die bij Nancy was geconstateerd. Sommige vrienden hebben wel geopperd dat dit mijn verdedigingsmechanisme was, dat ik blind mijn toevlucht zocht in feiten en cijfers. Maar

ik wilde gewoon haar leven redden. Ik deed feitelijk wat dagelijks miljoenen Amerikanen doen wanneer ze een geliefde dreigen te verliezen: ik stroopte de medische wereld af op zoek naar een wonder. Tegenwoordig zijn er gelukkig steeds meer kankerpatiënten te genezen, al blijft longkanker één van de hardnekkigste vormen van kanker om te verslaan. En Nancy's ziekte sloeg twintig jaar geleden toe, toen men nog niet beschikte over het huidige medische arsenaal.

De chirurgen verwijderden een van Nancy's longen en een deel van de tweede long. Daarna moest ze maanden wachten om erachter te komen of die ingreep succesvol was geweest. Dat bleek niet het geval te zijn.

Geloof me: longkanker is een van de ziekten waaraan je niet wilt overlijden. Vaak 'verdrinkt' het slachtoffer door de voortdurende vochtvorming in de longen die optreedt vanaf het moment dat de ziekte de natuurlijke herstelmechanismen van het lichaam is gaan overheersen. Het lijden kan onbeschrijfelijk zijn.

Ik was midden in mijn eerste campagne voor de Senaat toen mijn vader me op 11 juli 1984 belde met de mededeling dat Nancy's toestand snel achteruitging. Ik haastte me om aan haar bed te gaan zitten in de kamer waar ook mijn vader en moeder, Tipper en vanzelfsprekend Frank

Hunger, Nancy's geliefde echtgenoot, aanwezig waren.

Ze leed al een tijd lang zulke erge pijn, dat ze grote doses morfine en andere pijnstillers kreeg toegediend. Onvermijdelijk beïnvloedden die ook haar bewustzijn. Voordat ik in haar kamer arriveerde had ze daar, zoals familieleden me beschreven, gelegen als gehuld in door pijnstillers veroorzaakte 'mist', met een glazige, ongerichte blik. Op het moment dat ik binnenliep en zij mijn stem hoorde, draaide ze echter haar hoofd naar me, ontrukte zich aan die nevel en keek me aan met een intense blik. Ik zal dat moment nooit vergeten. Het was weer 'zij en ik', de broer en zus die zonder woorden konden communiceren. Ik verbeeldde me – al was het denk ik geen verbeelding maar iets dat ik echt 'hoorde' – dat ze me in stilte maar prangend vroeg: 'Breng je me hoop?'

Ik keek haar in de ogen en zei: 'Ik hou van je Nancy.' Ik knielde bij haar bed en hield lang haar hand vast. Vrij snel daarna blies ze haar laatste adem uit en gleed ze weg.

Ik sprak voor het eerst in het openbaar over de dood van mijn zus, toen ik door de Democraten was genomineerd als vicepresidentskandidaat. Ik was verrast dat sommigen mijn opmerkingen overdreven sentimenteel vonden. Nancy speelde

echter een te belangrijke rol in mijn leven om níet over haar te praten op een moment dat in de vs strijd werd geleverd tegen het gedrag van tabaksproducenten die jonge mannen en vrouwen probeerden over te halen om dezelfde dodelijke vergissing te begaan als Nancy op haar dertiende. Ik wilde dat het verhaal over Nancy een alarmbel zou laten rinkelen en zou helpen de tabaksapologeten te laten stoppen met het overschreeuwen van de nuchtere wetenschappelijke geluiden.

Maar los daarvan: je kunt mij niet begrijpen zonder te weten wie Nancy was. Ze was tijdens haar leven een enorme kracht in mijn bestaan en voor mij is ze dat nog steeds. Nancy was een sterke, onafhankelijke vrouw. Ik weet dat niemand haar dwong om al die jaren te blijven roken. Maar ik ben er ook van overtuigd dat ze nog geleefd had als sigarettenfabrikanten het roken niet aanlokkelijk hadden gemaakt en de schadelijke effecten niet hadden vergoelijkt. Ik zou haar dan niet elke dag van mijn leven hoeven missen, haar glimlach, haar geplaag, haar advies en raad, en de omhelzingen van mijn liefhebbende, onvervangbare grote zus.

Ik had ook gewild dat mijn familie het verbouwen van tabak eerder de rug zou hebben toegekeerd dan na de dood van Nancy. Eerlijk gezegd waren we allemaal verlamd door het toeslaan van de kanker en vervolgens ging al onze aandacht uit naar mogelijkheden om haar beter te maken. Dat van de tabaksoogst van mijn vaders boerderij sigaretten konden worden gemaakt, de sigaretten die Nancy's dodelijke ziekte hadden veroorzaakt, leek op dat moment een beetje abstract en ver van ons af te staan, hetzelfde wat veel mensen nu ook hebben met de opwarming van de aarde. Maar toen Nancy ziek werd, kwamen de gesprekken over het beëindigen van de tabaksteelt op onze boerderij wel op gang en niet lang

na haar dood besloot mijn vader helemaal met deze teelt te stoppen. Ik weet door deze ervaringen dat het soms tijd kost om de juiste verbanden te leggen wanneer geaccepteerde gewoonten en gedragspatronen ineens schadelijk blijken te zijn. Maar ik leerde ook dat er een dag kan komen waarop je de tol betaalt en had gewild dat je eerder conclusies had getrokken.

In 1964 maakten wetenschappers ons duidelijk dat roken dodelijk is omdat het longkanker en andere ziekten veroorzaakt. Zo wijzen de beste wetenschappers van de eenentwintigste eeuw ons er nu met steeds meer klem op, dat de uitstoot van broeikasgassen het klimaat van de planeet schaadt en de toekomst van de menselijke beschaving ernstig in gevaar brengt. En opnieuw nemen we de tijd – te veel tijd – om de verbanden te leggen.

BOVEN: *Al en Nancy op de familie-boerderij, Carthage, Tennessee, 1951*; ONDER: *Al, Nancy en hun ouders op de familieboerderij, 1951*

Het tweede probleem in de manier waarop we over de klimaatcrisis denken is de brede kloof tussen wat C.P. Snow beschreef als 'de twee culturen'. In de wetenschap is men heel gespecialiseerd en gericht bezig om steeds verfijnder kennis te verzamelen op steeds enger afgebakende wetenschapsterreinen. Het gevolg is dat het voor de rest van de samenleving steeds moeilijker wordt om de wetenschappelijke uitkomsten te duiden en in begrijpelijke taal om te zetten. Sterker nog: wetenschap gedijt bij onzekerheid, terwijl de politiek door onzekerheden juist verlamd wordt. Wetenschappers vinden het daarom erg moeilijk om bij politici de noodklok te luiden: zelfs als uit hun bevindingen blijkt dat we in groot gevaar verkeren, is hun eerste impuls om het experiment te herhalen om te zien of dat dezelfde resultaten oplevert.

Anderzijds verwarren politici redeneringen uit eigen belang, betaald door lobbyisten en geplaatst in populaire bladen, vaak met legitieme publicaties in achtenswaardige wetenschapsbladen die altijd eerst door vakgenoten beoordeeld zijn. Zo citeren de zogeheten klimaatsceptici in hun betoog dat de opwarming van de aarde een mythe is één artikel vaker dan welke andere publicatie ook. Het betreft een stuk uit de jaren zeventig waarin de zorg wordt uitgesproken dat de wereld een nieuwe ijstijd in zou kun-

ZO'N STERKE CONSEN
DIT ONDERWERP IS ON
ZELDZAAMHEID IN DE

DONALD KENNEDY, HOOFDREDACTEUR, *SCIENCE* MAGAZINE

nen gaan. Het artikel van de bewuste wetenschapper werd gepubliceerd in *Newsweek* en verscheen nooit in enig tijdschrift dat voorafgaande beoordeling door vakgenoten hanteert als eis voor plaatsing. Bovendien stelde de wetenschapper in kwestie zijn bewering korte tijd daarop bij en hij legde uit waarom zijn te snelle opmerking onjuist was geweest.

De grote misvatting is dat er in de wetenschappelijke wereld onenigheid zou bestaan over de vraag of de opwarming van de aarde echt plaatsvindt, of de mens de belangrijkste oorzaak is en of de gevolgen zo ernstig zijn dat onmiddellijke actie gerechtvaardigd is. In werkelijkheid bestaat er echter feitelijk geen enkel belangrijk geschil over deze centrale punten die de gezamenlijke visie van de wereldwijde wetenschappelijke gemeenschap vormen.

Als hoofd van de NCAA, het wetenschappelijk bureau dat verantwoordelijk is voor het merendeel van de metingen op het gebied van klimaatverandering zei Jim Baker: 'Er bestaat over dit onderwerp meer wetenschappelijke overeenstemming dan over welk ander onderwerp ook... behalve misschien over de Wet van Newton.' Donald Kennedy vatte die eensgezindheid als volgt samen:

SUS ALS OVER TSTAAN, IS EEN WETENSCHAP.

Een onderzoeker van de Universiteit van Californië in San Diego, dr. Naomi Oreskes, publiceerde in *Science* over een omvangrijke studie naar alle, vooraf door vakgenoten beoordeelde, artikelen over klimaatverandering die in de afgelopen tien jaar in wetenschappelijke bladen zijn verschenen. Zij en haar team bekeken een grote steekproef van 928 willekeurig gekozen artikelen, bijna tien procent van het totale aantal publica-ties. Ze analyseerden zorgvuldig hoeveel van deze artikelen in overeenstemming of juist in tegenspraak waren met de heersende gemeenschappelijke visie. In ongeveer een kwart van de beschouwde artikelen werden geen kernpunten van de consensus besproken. In driekwart van de artikelen wel. Het percentage daarvan dat afweek van de gemeenschappelijke visie? Nul.

Aantal artikelen over klimaat-verandering uit de afgelopen tien jaar, gepubliceerd in wetenschappelijke tijdschriften na voorafgaande beoordeeld door vakgenoten:

928

Percentage artikelen dat de oorzaak van de opwarming van de aarde in twijfel trekt:

0%

Phillip Cooney

1995 tot 29 januari 2001

Lobbyist van het American Petroleum Institute, belast met het verspreiden van verwarrende informatie over de opwarming van de aarde

20 januari 2001

Ingehuurd als hoofdleidinggevende bij het Milieubureau van het Witte Huis

14 juni 2005

Verlaat het Witte Huis en komt op de loonlijst van Exxon Mobil

Een eeuw geleden was Upton Sinclair een van de meest gerespecteerde leden van een opmerkelijke groep onderzoeksjournalisten en schrijvers die afgrijselijke wantoestanden blootlegde die verborgen waren gebleven in de 'Gilded Age', de enorme Amerikaanse economische en industriële expansie aan het einde van de negentiende eeuw, die ook tal van schaduwkanten had. De groep vormde een stimulans voor de hervormingen in de 'Progressive Era'.

Sinclair deed destijds een uitspraak die ook kan slaan op de groep ontkenners van klimaatverandering die namens de regering-Bush-Cheney verantwoordelijk zijn voor Amerika's antwoord op de klimaatverandering. Mensen als Cooney, die Amerikaanse burgers proberen te overtuigen dat er niet echt een probleem is en dat het lang niet zo gevaarlijk is en dat wij er sowieso niet verantwoordelijk voor zijn.

HET IS MOEILIJK OM I TE LATEN BEGRIJPEN, JUIST AFHANGT VAN BEGRIJPEN ERVAN.

UPTON SINCLAIR

EMAND IETS
ALS ZIJN SALARIS
HET *NIET*

Wat dit soort oneerlijkheden onverdraag-
lijk maakt is dat er zo veel op het spel
staat.

Op 21 juni 2004 beschuldigden 48 Nobel-
prijs-winnaars uit de wetenschappelijke
wereld president Bush en zijn regering
ervan de wetenschap te verdraaien:

'Door de wetenschappelijke consensus over cruciale onder-werpen als mondiale klimaat-verandering te negeren, bedreigen [President Bush en zijn regering] de toekomst van de aarde.'

ONDERTEKEND DOOR:

Peter Agre
SCHEIKUNDE 2003

Sidney Altman
SCHEIKUNDE 1989

Philip W. Anderson
NATUURKUNDE 1977

David Baltimore
GENEESKUNDE 1975

Baruj Benacerraf
GENEESKUNDE 1980

Paul Berg
SCHEIKUNDE 1980

Hans A. Bethe
NATUURKUNDE 1967

Michael Bishop
GENEESKUNDE 1999

Günter Blobel
GENEESKUNDE 1999

Nico Bloembergen
NATUURKUNDE 1981

James W. Cronin
NATUURKUNDE 1980

Johann Deisenhofer
SCHEIKUNDE 1988

John B. Fenn
SCHEIKUNDE 2002

Val Fitch
NATUURKUNDE 1980

Jerome I. Friedman
NATUURKUNDE 1990

Walter Gilbert
SCHEIKUNDE 1980

Alfred G. Gilman
GENEESKUNDE 1994

Donald A. Glaser
NATUURKUNDE 1960

Sheldon L. Glashow
NATUURKUNDE 1979

Joseph Goldstein
GENEESKUNDE 1985

Roger Guillemin
GENEESKUNDE 1977

Dudley Herschbach
SCHEIKUNDE 1986

Roald Hoffmann
SCHEIKUNDE 1981

H. Robert Horvitz
GENEESKUNDE 2002

David H. Hubel
GENEESKUNDE 1981

Louis Ignarro
GENEESKUNDE 1998

Eric R. Kandel
GENEESKUNDE 2000

Walter Kohn
SCHEIKUNDE 1998

Arthur Kornberg
GENEESKUNDE 1959

Leon M. Lederman
NATUURKUNDE 1988

Tsung-Dao Lee
NATUURKUNDE 1957

David M. Lee
NATUURKUNDE 1996

William N. Lipscomb
SCHEIKUNDE 1976

Roderick MacKinnon
SCHEIKUNDE 2003

Mario J. Molina
SCHEIKUNDE 1995

Joseph E. Murray
GENEESKUNDE 1990

Douglas D. Osheroff
NATUURKUNDE 1996

George Palade
GENEESKUNDE 1974

Arno Penzias
NATUURKUNDE 1978

Martin L. Perl
NATUURKUNDE 1995

Norman F. Ramsey
NATUURKUNDE 1989

Burton Richter
NATUURKUNDE 1976

Joseph H. Taylor Jr.
NATUURKUNDE 1993

E. Donnall Thomas
GENEESKUNDE 1990

Charles H. Townes
NATUURKUNDE 1964

Harold Varmus
GENEESKUNDE 1989

Eric Wieschaus
GENEESKUNDE 1995

Robert W. Wilson
NATUURKUNDE1978

Het derde probleem in onze manier van denken over de opwarming van de aarde is dat we ten onrechte geloven dat we moeten kiezen tussen een gezonde economie en een gezond milieu.

In 1991 maakte ik deel uit van een groep senatoren van Republikeinen en Democraten die de eerste regering-Bush ervan probeerde te overtuigen om naar de eerste VN-wereldtop in Rio de Janeiro te gaan. In reactie daarop organiseerde het Witte Huis een conferentie om de indruk te wekken dat de regering verantwoord bezig was. In dat kader had men ook een kleurenfolder gemaakt over 'mondiaal rentmeesterschap'. Heel curieus was met name een plaatje in die folder dat liet zien hoe de regering aankeek tegen de balans tussen milieu en economie.

Deze illustratie staat symbool voor een wijdverbreide visie op de fundamentele 'keuze' die de VS zou moeten maken tussen economie en milieu. Op het plaatje is een ouderwetse weegschaal te zien. Aan de ene kant liggen de goudstaven die staan voor rijkdom en economisch succes; op de andere schaal ligt... de hele planeet!

DE OPWARMING VAN DE AARDE EN HET KAPITALISME ALS INSTRUMENT

Een van de sleutels tot het oplossen van de klimaatcrisis ligt in het vinden van manieren om de krachten van de kapitalistische markt hierbij in te schakelen als bondgenoten. En dat vereist vooral dat we precies nagaan wat de werkelijke gevolgen zijn – positieve en negatieve – van alle economische keuzes die we maken.

Het milieu-effect van onze economische keuzes is vaak genegeerd omdat de traditionele boekhouding deze factoren beschouwt als 'externaliteiten', die daardoor vanzelf buiten de economische balansen bleven. Het is niet verwonderlijk dat deze onverstandige praktijk nu al zo lang heeft kunnen bestaan. De factoren zijn soms moeilijk van een prijskaartje te voorzien. En dan is het makkelijker om ze 'extern' te noemen en ze daarmee uit het zicht en buiten je gedachten te plaatsen. Nu echter erkennen veel zakenleiders de volledige effecten van hun keuzes. Ze beginnen factoren als milieu, maatschappelijke effecten en werknemerswelzijn op te nemen in hun kosten-batenberekeningen aan de hand van verfijnde methoden om de werkelijke waarde ervan te meten.

Onderdeel van deze nieuwe strategie is dat veel meer wordt gekeken naar hoe ondernemingen hun winstgevendheid over een lange periode kunnen behouden. Deze ondernemers verruilen een obsessieve kortetermijngerichtheid voor een langeretermijnvisie. Dat maakt vaak een groot verschil bij het beoordelen van investeringen die pas na twee of drie jaar iets opleveren. Veel van dergelijke investeringen worden tegenwoordig al bij voorbaat vermeden, omdat de markt elke uitgave afstraft die ten koste gaat van de kortetermijnwinst.

In de investeringswereld is echter een grote verandering op komst, aangevoerd door degenen die ontevreden zijn geraakt over de kortzichtigheid op de financiële markten en die realistischer willen kijken naar hoe bedrijven waarde kunnen creëren en behouden. Deze investeerders letten ook op het milieu en andere factoren als ze de waarde van een investering bepalen. Veel individuele en institutionele beleggers vinden het tegenwoordig verstandig om na te denken over de mogelijke effecten van hun investeringen op klimaatverandering.

Of je nu geld op een spaarrekening zet, aandelen koopt, je pensioen regelt, of een studiefonds voor je kind opbouwt: *het maakt uit waar je dat geld wegzet.* Nadenken over duurzaamheid hoeft helemaal niet ten koste te gaan van de opbrengst. Er zijn zelfs aanwijzingen dat het juist gunstiger kan zijn. Wie verstandig investeert kan helpen de klimaatverandering te stoppen, mondiale duurzaamheid bevorderen én er financieel wel bij varen.

Deze voorstelling van zaken impliceert niet alleen dat we moeten kiezen, maar ook dat het een heel moeilijke keuze is. In werkelijkheid wordt ons een verkeerde keuze voorgehouden. Ten eerste: zonder planeet zul je niet erg kunnen genieten van die goudstaven. Ten tweede: als we het goed aanpakken kunnen we juist heel veel rijkdom, banen en kansen creëren.

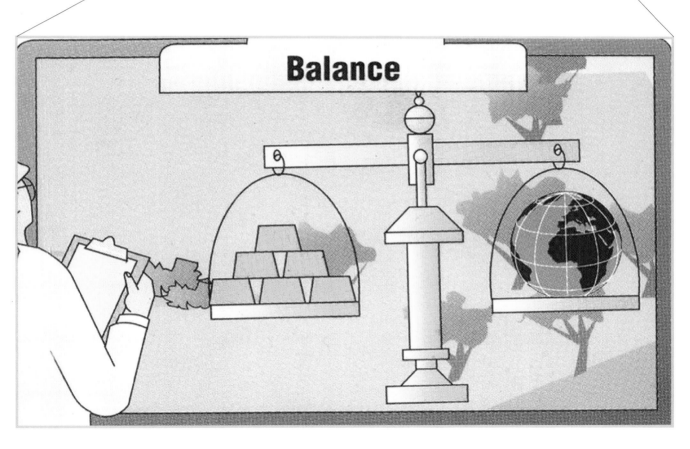

Helaas wordt ons beleid geschaad door de foute voorstelling als zou het gaan om economie *of* milieu.

Een voorbeeld: verbruiksnormen voor auto's. Japanse auto's moeten wettelijk zuiniger zijn dan 1:19. Europa heeft nu nieuwe wettelijke richtlijnen aangenomen die de Japanse normen nog overtreffen. Canada en Australië gaan een brandstofverbruik van tenminste 12,8 kilometer per liter brandstof eisen.

De vs sjokt daar ver achteraan.

Ons wordt gezegd dat de Amerikaanse automobielfabrikanten beschermd moeten worden tegen concurrentie in landen als China, waar leiders lak aan het milieu zouden hebben. In werkelijkheid zijn de Chinese eisen nu al veel strenger dan de Amerikaanse. O ironie: Amerikaanse auto's kunnen nu in China niet worden verkocht, omdat ze niet voldoen aan de milieu-eisen daar.

VERGELIJKING VAN BRANDSTOFVERBRUIKSEISEN EN BROEIKASGAS-UITSTOOT WERELDWIJD

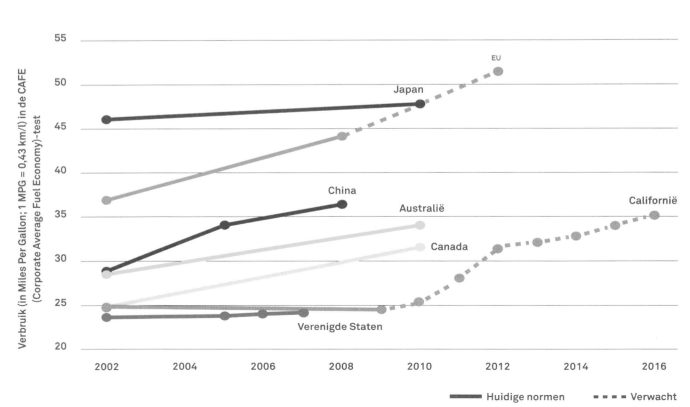

De wetgever in Californië heeft het initiatief genomen om strengere eisen te stellen aan auto's die in deze staat verkocht worden. De autofabrikanten voeren nu echter rechtszaken om te voorkomen dat deze wet in werking treedt. Het zou namelijk betekenen dat ze over tien jaar voor Californië auto's zouden moeten maken die *bijna* zo zuinig zijn als de auto's die China momenteel produceert.

Onze ouderwetse milieunormen zijn gebaseerd op een verkeerde manier van denken over de relatie tussen economie en milieu. In dit geval zijn ze bedoeld om de auto-industrie te helpen. Echter, zoals de grafiek hieronder laat zien gaat het juist goed met de fabrikanten van *zuinigere* auto's. De Amerikaanse fabrikanten zitten diep in de problemen. Toch verdubbelen ze hun inspanningen om grote, inefficiënte benzineslurpers te verkopen, ook al geeft de markt dezelfde signalen af als het milieu.

OMZET AUTOFABRIKANTEN FEBRUARI-NOVEMBER 2005

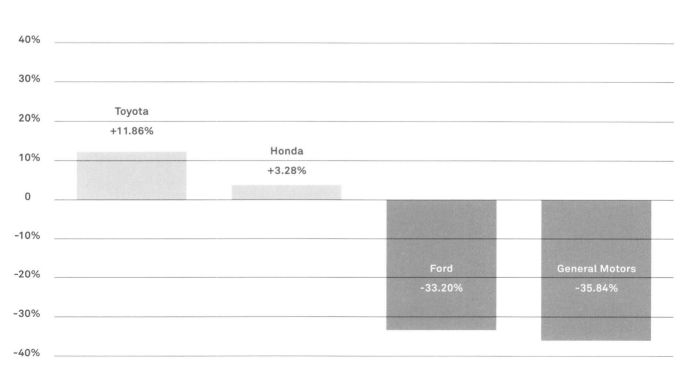

Gelukkig beginnen steeds meer zakenleiders ons in de goede richting te sturen.
Zo heeft General Electric onlangs een indrukwekkend nieuw initiatief op klimaatgebied aangekondigd. Topman Jeffrey
Immelt legde uit hoe milieu en economie
volgens hem in elkaar passen:

DE 'G' VAN GROEN IS
DIT IS DE TIJD WAARIN
OOK WINSTGEVEND G

JEFFREY R. IMMELT,
VOORZITTER RAAD VAN BESTUUR EN TOPMAN VAN GENERAL ELECTRIC

OOK DE 'G' VAN GELD.
MILIEUVERBETERING
AAT WORDEN.

Het vierde en laatste probleem in de manier waarop sommige mensen over de opwarming van de aarde denken is de gevaarlijke misvatting dat er – als het werkelijk zo'n bedreiging is als de wetenschappers zeggen – misschien niets meer aan te doen valt en dat we ons er net zo goed bij neer kunnen leggen. Verbazingwekkend veel mensen schakelen rechtstreeks over van ontkenning naar wanhoop, zonder stil te staan bij de tussenliggende mogelijkheid: 'We kunnen er iets aan doen!'

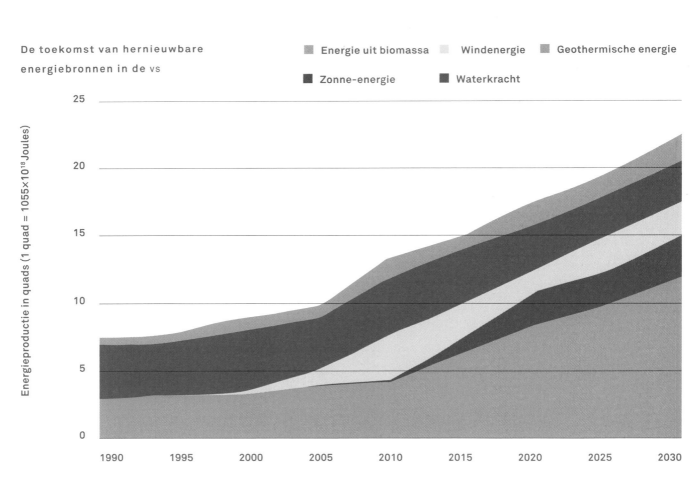

De toekomst van hernieuwbare energiebronnen in de vs

◼ Energie uit biomassa ◻ Windenergie ◼ Geothermische energie

◼ Zonne-energie ◼ Waterkracht

Energieproductie in quads (1 quad = 1055×10^{18} Joules)

En we *kunnen* er wat aan doen.

SPAARLAMPEN

HYBRIDE BUS MET BRANDSTOFCEL

ZONNEPANELEN

GROEN DAK

HYDROGEN FUEL CELL ELECTRIC

ELEKTRISCHE AUTO MET
WATERSTOF-BRANDSTOFCEL

HYBRIDE AUTO

GEOTHERMISCHE ELEKTRICITEITSCENTRALE

We hebben alles om te beginnen met
het oplossen van de klimaatcrisis – misschien ontbreekt alleen de politieke wil.
Maar ook de politieke wil is een onuitput-
telijke bron.

Iedereen draagt bij aan de mondiale
opwarming, maar kan ook bijdragen aan
de oplossing: door te beslissen wat we
kopen, ons elektriciteitsgebruik, de keuze
van een auto, de wijze waarop we leven.
We kunnen zelfs keuzes maken waardoor
onze CO_2-emissie op nul uitkomt.

OFFSHORE WINDPARK
MIDDELGRUNDEN, KOPENHAGEN,
DENEMARKEN, 2001

WINDENERGIE

Zonder wind waren de Great Plains in de vs niet in cultuur gebracht. Hoeveel we ook danken aan spoorwegen, geweren en paarden – het was de windmolen die generaties lang onvermoeibaar het grondwater oppompte waarmee de mensen uit de nederzettingen konden koken, wassen, hun veestapel konden drenken.

Wind is altijd al een bron geweest die voor het aftappen lag. Een 100 MW (MegaWatt) windmolenpark – dat zijn 50 torens van 90 meter hoog met elk 2 MW-turbines ter grootte van een forse truck – kan 24.000 huizen van stroom voorzien. Daar zou je anders jaarlijks bijna 50.000 ton steenkool voor moeten verbranden. Stel je voor wat voor vrachten kooldioxide er bij verbranding daarvan elk jaar worden uitgestoten.

Zeker, ook een moderne windturbine veroorzaakt CO_2-uitstoot, maar alleen bij de constructie. Als de turbine er eenmaal staat, is er geen uitstoot meer. Steenkool en wind staan in schril contrast: steenkoolverbranding braakt een constante stroom broeikasgas uit, windturbines niets.

De markt heeft al besloten dat windgeneratoren tot de meest marktrijpe en kosteneffectieve technologieën behoren om ons in de toekomst van energie te voorzien. Nutsbedrijven investeren in windmolenparken. De windturbinedivisie van General Electric verdubbelde in 2005. Vesta, wereldleider op dit gebied, heeft van windmolens het grootste Deense exportproduct gemaakt. In sommige winternachten is de wind voor de Deense kust zo krachtig dat de windturbines de energiebehoefte er volledig dekken. Tegen 2008 zal Denemarken een kwart van zijn elektriciteit 'uit de lucht plukken'. Het is waar dat deze windmolens gigantisch groot zijn, maar onze elektriciteitshonger ook. De turbines veranderen de horizon, maar ook veel mensen vinden het draaien van de wieken een rustgevend gezicht.

Elke dag gaan we door met het volpompen van de lucht met kooldioxide uit verbrandingsgassen, terwijl daar ook de windenergie voor het grijpen ligt.

'De mensheid beschíkt al over de fundamentele wetenschappelijke, technische en industriële kennis om in de komende halve eeuw de problemen van kooldioxide en klimaatverandering op te lossen,' aldus de conclusie van Robert Socolow en zijn collega Stephen Pacala, economen van Princeton University, uit hun alom gerespecteerde onderzoek naar beleidsopties om de klimaatcrisis op te lossen.

De grafiek hieronder, gebaseerd op hun onderzoek, laat zien hoe de uitstoot van broeikasgas door de vs de komende vier decennia zal toenemen (rechtsboven in de grafiek) als we op de oude voet doorgaan. Maar de gekleurde vlakken laten zien welke uitstootvermindering in dezelfde periode haalbaar is dankzij de daar genoemde maatregelen.

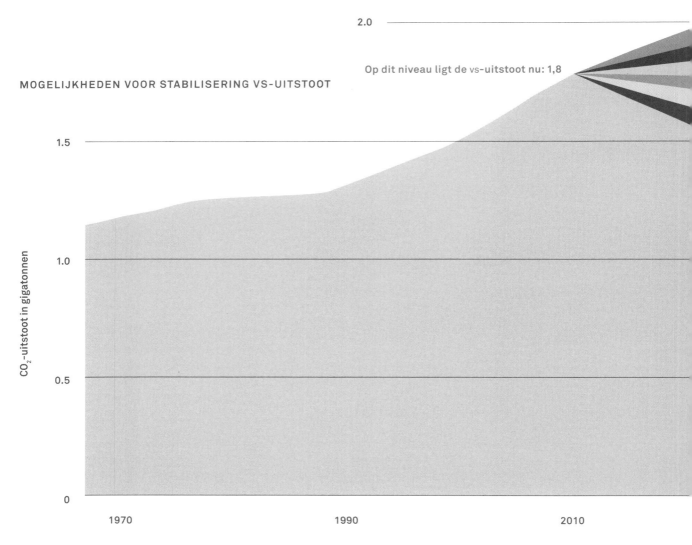

MOGELIJKHEDEN VOOR STABILISERING VS-UITSTOOT

Op dit niveau ligt de vs-uitstoot nu: 1,8

2.0

1.5

1.0

0.5

0

CO_2-uitstoot in gigatonnen

1970   1990   2010

2.5

2030

2050

De onderstaande veranderingen, die allemaal gebaseerd zijn op reeds bestaande en betaalbare technologie, kunnen de CO_2-uitstoot verminderen tot een niveau onder dat van de jaren zeventig van de vorige eeuw.

Reductie door efficiënter gebruik van elektriciteit in verwarmings- en koelsystemen, bij verlichting, apparaten en elektronische installaties.

Reductie door een grotere energie-efficiëntie bij de eindgebruiker door het ontwerpen van gebouwen en bedrijven met een veel lager energieverbruik dan de huidige.

Reductie door verbetering van de energie-efficiënte van voertuigen, te bereiken met zuinigere auto's, hybride auto's en auto's met een brandstofcel.

Reductie door andere wijzigingen in de efficiëntie van transport, zoals betere openbaar-vervoerssystemen opnemen in het ontwerp van steden en het maken van zuinigere vrachtwagens.

Reductie door meer gebruik te maken van bestaande hernieuwbare energietechnologieën zoals de wind en biobrandstoffen.

Reductie door het opvangen en opslaan van CO_2 van elektriciteitscentrales en industrie.

Veel landen hebben al besloten in actie te komen. Het Kyoto-verdrag is inmiddels door 132 landen geratificeerd.

Er zijn maar twee hoogontwikkelde landen die Kyoto niet hebben geratificeerd: de vs en Australië.

GERATIFICEERD DOOR:

Algerije
Antigua
Argentinië
Armenië
Azerbeidzjan
Bahama's
Bangladesh
Barbados
Barbuda
België
Belize
Benin
Bolivia
Botswana
Brazilië
Bulgarije
Burundi
Buthan
Cambodja
Canada
Chili
China
Colombia
Cooke Eilanden
Costa Rica
Cuba

Cyprus
Denemarken
Djibouti
Dominica
Dominicaanse Republiek
Duitsland
Ecuador
Egypte
El Salvador
Equatoriaal Guinea
Estland
Europese Unie
Fiji
Filippijnen
Finland
Frankrijk
Gambia
Georgië
Ghana
Grenada
Griekenland
Guatemala
Guinee
Guyana
Honduras
Hongarije
Ierland

IJsland
India
Indonesië
Israël
Italië
Jamaica
Japan
Jemen
Jordanië
Kameroen
Kenia
Kirgizistan
Kiribati
Laos
Lesotho
Letland
Liberia
Liechtenstein
Litouwen
Luxemburg
Macedonië
Madagaskar
Malawi
Malediven
Maleisië
Mali
Malta

Blijft de vs achter terwijl de rest van de wereld stappen voorwaarts zet?

Marokko
Marshall Eilanden
Mauritius
Mexico
Micronesië
Moldavië
Mongolië
Mozambique
Myanmar
Namibië
Nauru
Nederland
Nicaragua
Nieuw-Zeeland
Niger
Nigeria
Niue
Noord-Korea
Noorwegen
Oeganda
Oekraïne
Oezbekistan
Oman
Oostenrijk
Pakistan
Palau
Panama

Papoea Nieuw-Guinea
Paraguay
Peru
Polen
Portugal
Qatar
Roemenië
Rusland
Rwanda
Samoa
Saoedi-Arabië
Salomon Eilanden
Senegal
Seychellen
Slovenië
Slowakije
Soedan
Spanje
Sri Lanka
St. Lucia
St. Vincent en
de Grenadines
Tanzania
Thailand
Togo
Trinidad en Tobago
Tsjechië

Tunesië
Turkmenistan
Tuvalu
Uruguay
Vanuatu
Venezuela
Verenigde Arabische
Emiraten
Verenigd Koninkrijk
Vietnam
Zuid-Afrika
Zuid-Korea
Zweden
Zwitserland

NIET GERATIFICEERD DOOR:
Australië
Verenigde Staten

De politisering van klimaatverandering

Ik heb met mijn lezing de wereld rond gereisd. Twee vragen werden me – vooral in de VS – het vaakst gesteld door mensen die al weten hoe ernstig de crisis is: 'Waarom geloven nog steeds zoveel mensen dat deze crisis niet echt bestaat?' en: 'Waarom is dit überhaupt een politiek onderwerp?'

Als antwoord op de eerste vraag heb ik mijn diaserie – en nu dit boek – steeds zo helder en boeiend mogelijk willen maken. Dat veel mensen zich nog zo verzetten tegen wat helder uit de feiten blijkt, komt – denk ik – ten dele doordat de waarheid over de klimaatcrisis een ongemakkelijke boodschap is. We moeten immers onze manier van leven veranderen. De meeste van die veranderingen zullen ten goede blijken te zijn, dingen die we om andere redenen toch al anders moesten gaan doen. Desondanks zullen ze niet erg gelegen komen. Of het nu gaat om zoiets kleins als het anders afstellen van de thermostaat en het gebruiken van spaarlampen, of om grotere zaken, zoals het overschakelen van olie en steenkool op hernieuwbare bronnen: het kost moeite.

Het antwoord op de eerste vraag hangt echter ook samen met de tweede vraag. De waarheid over de opwarming van de aarde komt met name erg ongelegen voor machtige mensen en maatschappijen die veel geld verdienen met activiteiten die ze, zoals ze heel goed weten, ingrijpend moeten wijzigen om de leefbaarheid van de planeet veilig te stellen.

Deze mensen – vooral zij die werken bij een paar multinationals waarvoor nog het meest op het spel staat – hebben jaarlijks vele miljoenen dollars uitgegeven op zoek naar manieren om bij het publiek verwarring te zaaien over de opwarming van de aarde. Ze zijn bijzonder succesvol geweest in coalitievorming met andere groepen met wie ze hebben afgesproken elkaars belangen te steunen. Deze coalitie is er tot nu toe in geslaagd Amerika te verlammen in zijn mogelijkheden om te reageren op de opwarming van de aarde.

De regering-Bush-Cheney wordt stevig gesteund door deze coalitie en lijkt te doen wat ze kan om de belangen van deze groepen te dienen. Zo zijn veel wetenschappers die bij de overheid klimaatonderzoek doen gesommeerd op te letten met wat ze zeggen over de klimaatcrisis. Met de pers mogen ze zelfs helemaal niet spreken. Belangrijker is nog dat het hele Amerikaanse klimaatbeleid is veranderd.

Het weerspiegelt nu de onwetenschappelijke visie – de regeringsvisie –, dat de opwarming van de aarde geen probleem is. De internationale onderhan-

Al Gore in het Old Executive Office
Building, Washington, 1999

delaars van de VS hebben het advies gekregen elke ontwikkeling te blokkeren die zou kunnen leiden tot maatregelen die de olie- of steenkoolmaatschappijen ongelegen zouden komen, ook als dit diplomatieke problemen oplevert. Bovendien benoemde President Bush uitgerekend de man die tot dan toe in de oliesector de ontkenningscampagne over de mondiale opwarming had geleid, tot hoofd van het milieubeleid van het Witte Huis. Hoewel deze jurist en lobbyist geen enkele wetenschappelijke achtergrond had, kreeg hij van de president de bevoegdheid om alle waarschuwingen van het EPA en andere overheidsinstanties over de mondiale opwarming te redigeren en te censureren.

Politieke leiders, en vooral de presi-

nog steeds, maar er is inmiddels zo veel onweerlegbaar bewijsmateriaal tegen die stelling dat de meeste tegenstanders besloten hebben van tactiek te veranderen. Ze erkennen nu dat de aarde inderdaad opwarmt, maar voegen daar in één adem aan toe dat dit slechts is toe te schrijven aan 'natuurlijke oorzaken'.

President Bush zelf probeert dit standpunt in te nemen. Hij beweert dat het lijkt alsof de wereld opwarmt, maar dat er toch echt geen overtuigend bewijs is dat mensen daarvoor verantwoordelijk zouden zijn. En hij lijkt er met name zeker van dat de olie- en steenkoolmaatschappijen, die hem zo stevig steunen, er op geen enkele manier iets mee te maken kunnen hebben.

Een soortgelijk argument van de ont-

ernstige twijfel bestaat over de feiten. Ze weten namelijk dat die onzekerheden de Amerikaanse politiek lam kunnen leggen. Politici hebben immers het natuurlijke instinct om elk controversieel lijkend standpunt te vermijden, tenzij – en totdat – de kiezers er echt om vragen of het geweten het vereist.

Dus als kiezers en de politici die hen vertegenwoordigen, ervan overtuigd kunnen worden dat wetenschappers het zelf nog oneens zijn over fundamentele zaken met betrekking tot klimaatverandering, dan kan dat het politieke proces voor onbepaalde tijd verlammen. Dit is precies wat er – tenminste tot voor kort – gebeurd is. Het is nog onduidelijk wanneer hier echt verandering in zal komen.

Een deel van het probleem zit ook in

De waarheid over de klimaatcrisis is een ongemakkelijke boodschap die erg ongelegen komt, omdat die betekent dat we onze manier van leven zullen moeten veranderen.

dent, kunnen een stevig stempel drukken op het beleid, vooral wanneer het Congres wordt gedomineerd door de partij van de president en alles doet wat de president wil. Ze kunnen ook de publieke opinie sterk beïnvloeden, en vooral de mening van de mensen die zich beschouwen als aanhangers van de president.

En ja: zelfs nu Amerikanen zich over het algemeen meer zorgen zijn gaan maken over de mondiale opwarming blijkt uit opiniepeilingen dat leden van de partij van de president juist minder bezorgd worden. Waarschijnlijk zijn ze geneigd de president het voordeel van de twijfel te geven.

Door de jaren heen hebben de klimaatsceptici steeds weer andere redenen gegeven waarom je tegen elke maatregel op klimaatgebied zou moeten zijn. Aanvankelijk zeiden ze dat de opwarming helemaal niet plaatsvond; het zou een mythe zijn. Sommigen beweren dat

kenners is dat de opwarming van de aarde inderdaad lijkt plaats te vinden, maar dat het waarschijnlijk goed voor ons is. En elke inspanning om dit te stoppen zou beslist slecht zijn voor de economie.

De recentste en schandelijkste argumentatie die zij in stelling brengen is dat de opwarming inderdaad gaande is, maar dat we er echt niks tegen kunnen doen. We kunnen ons daarom net zo goed de moeite besparen. In deze stroming is men voor het doorgaan met het vervuilen van de atmosfeer met broeikasgassen, ook al resulteert dat in een echte, schadelijke crisis. Hun filosofie, zo schijnt het, is: 'Eet, drink en wees vrolijk, want pas onze kinderen zullen morgen de ergste ellende erven. Wij willen daar liever niet mee lastig gevallen worden.'

Aan al deze wisselende redenaties ligt meestal dezelfde politieke tactiek ten grondslag: beweer dat de wetenschap nog in onzekerheid verkeert en dat er

de structurele verandering die al lange tijd gaande is op de Amerikaanse opiniërende *markt*. Er is sprake van een combinatie van eenrichtingsverkeer in de communicatie – een eigenschap van de tv als dominant medium – en de tendens dat veel mediakanalen in handen komen van een steeds kleiner aantal concerns. Deze mediabedrijven mengen vermaak en journalistiek en brengen de objectieve rol van de media in het Amerikaanse publieke debat ernstige schade toe. Tegenwoordig zijn er veel minder onafhankelijke journalisten die de vrijheid en het kaliber hebben om aan de bel te trekken als er voortdurend belangrijke feiten worden verdraaid om het publiek te misleiden.

Internet biedt nog de meeste hoop om weer een integer publiek debat te krijgen, maar vooralsnog is tv het dominante medium dat het debat bepaalt.

De 'propagandatechnieken' die op-

Gore tijdens een toespraak op Earth Day, 1997

kwamen met de film- en massamedia in de twintigste eeuw waren de prelude voor een wijdverbreid gebruik van soortgelijke technieken voor reclame en politieke beïnvloeding. En inmiddels heeft de bedrijfslobby om het beleid te beïnvloeden en te beheersen spectaculaire vormen aangenomen. Dit heeft vervolgens geleid tot een wijdverbreid en vaak cynisch gebruik van dezelfde massamediale overredingstechnieken om de publieke mening over belangrijke zaken te *bewerken*, om te voorkomen dat er steun ontstaat voor oplossingen die bepaalde industrieën niet uitkomen en te duur zijn.

Een techniek die steeds wordt gebruikt in de campagnes tegen klimaatmaatregelen is dat men de wetenschappers die ons proberen te waarschuwen voor de crisis er herhaaldelijk en voortdurend van beschuldigt dat ze oneerlijk, eerzuchtig en onbetrouwbaar zijn. Ook beschuldigen ze hen ervan wetenschappelijke feiten te verdraaien om op de een of andere manier meer onderzoeksgeld los te krijgen.

Deze aanvallen zijn beledigend en belachelijk, maar ze zijn zo vaak en luid herhaald via vele 'media-megafoons', dat veel mensen zich toch afvragen of de beschuldigingen waar zouden kunnen zijn. Zeer ironisch! Want veel sceptici ontvangen juist zelf geld en steun van groepen die handelen uit eigenbelang; ze worden gefinancierd door ondernemingen die wanhopig proberen elke actie tegen de opwarming te dwarsbomen. Wonderlijk genoeg heeft het publiek de bedenkelijke denkbeelden van deze sceptici even vaak of zelfs vaker gepresenteerd gekregen dan de eensluidende visie van de wetenschappelijke wereld. Dit schandelijke feit is duidelijk een smet op het blazoen van de moderne Amerikaanse nieuwsmedia. Gelukkig nemen veel vooraanstaande journalisten – zij het rijkelijk laat – stappen om dit te veranderen.

Toch is het echter nog helemaal niet zeker of het de nieuwsmedia zal lukken objectiever te blijven onder de enorme druk van krachten die daar niet van gediend zijn en die hen schrikbarend kwetsbaar maken voor dit soort georganiseerde propaganda.

We hebben veel tijd verloren die we hadden kunnen besteden aan het oplossen van de crisis, omdat de tegenstanders van acties tot nu toe zeer succesvol waren in het politiseren van dit onderwerp in de hoofden van veel Amerikanen.

We kunnen ons echter geen inertie meer veroorloven en er is eerlijk gezegd ook geen excuus meer voor. We willen allemaal hetzelfde: dat onze kinderen en de generaties na hen een schone en mooie planeet zullen erven waarop een gezonde menselijke beschaving in stand kan worden gehouden. Dit doel zou de politiek moeten overstijgen.

Het is waar dat de wetenschap nog voortschrijdt en zich ontwikkelt. Er zijn echter al genoeg gegevens en er is al genoeg schade om zonder enige twijfel te kunnen concluderen dat we in de problemen zijn gekomen. Dit is geen ideologisch debat met voor- en tegenstanders. Er is maar één aarde en wij allen die daarop leven delen een gezamenlijke toekomst.

We hebben te maken met een mondiale noodtoestand en het is tijd om in actie te komen. Dit is geen moment voor nog meer onbenullig gekrakeel, dat alleen bedoeld is om de politiek te verlammen.

Veel Amerikaanse steden hebben zelf het Kyoto-verdrag 'geratificeerd' en voeren beleid om de vervuiling met broeikasgassen te verminderen tot onder de verdragsnormen.

ARKANSAS
Fayetteville
Little Rock
North Little Rock

CALIFORNIË
Albany
Aliso Viejo
Arcata
Berkeley
Burbank
Capitola
Chino
Cloverdale
Cotati
Del Mar
Dublin
Fremont
Hayward
Healdsburg
Hemet
Irvine
Lakewood
Los Angeles
Long Beach
Monterey Park
Morgan Hill
Novato
Oakland
Palo Alto
Petaluma
Pleasanton
Richmond
Rohnert Park

Sacramento
San Bruno
San Francisco
San Luis Obispo
San Jose
San Leandro
San Mateo
Santa Barbara
Santa Cruz
Santa Monica
Santa Rosa
Sebastopol
Sonoma
Stockton
Sunnyvale
Thousand Oaks
Vallejo
West Hollywood
Windsor

COLORADO
Aspen
Boulder
Denver
Telluride

CONNECTICUT
Bridgeport
Easton
Fairfield
Hamden
Hartford
Mansfield
Middletown
New Haven

Stamford

DELAWARE
Wilmington

FLORIDA
Gainesville
Hallandale Beach
Holly Hill
Hollywood
Key Biscayne
Key West
Lauderhill
Miami
Miramar
Pembroke Pines
Pompano Beach
Port St. Lucie
Sunrise
Tallahassee
Tamarac
West Palm Beach

GEORGIA
Atlanta
Athens
East Point
Macon

HAWAII
Hilo
Honolulu
Kauai
Maui

ILLINOIS
Carol Stream
Chicago

Highland Park
Schaumburg
Waukegan

INDIANA
Columbus
Fort Wayne
Gary
Michigan City

IOWA
Des Moines

KANSAS
Lawrence
Topeka

KENTUCKY
Lexington
Louisville

LOUISIANA
Alexandria
New Orleans

MARYLAND
Annapolis
Baltimore
Chevy Chase

MASSACHUSETTS
Boston
Cambridge
Malden
Medford
Newton
Somerville
Worcester

MICHIGAN
Ann Arbor

Grand Rapids
Southfield

MINNESOTA
Apple Valley
Duluth
Eden Prairie
Minneapolis
St. Paul

MISSOURI
Clayton
Florissant
Kansas City
Maplewood
St. Louis
Sunset Hills
University City

MONTANA
Billings
Missoula

NEBRASKA
Bellevue
Lincoln
Omaha

NEVADA
Las Vegas

NEW HAMPSHIRE
Keene
Manchester
Nashua

NEW JERSEY
Bayonne
Bloomfield
Brick Township

Elizabeth
Hamilton
Hightstown
Hope
Hopewell
Kearny
Newark
Plainfield
Robbinsville
Westfield

NEW YORK
Albany
Buffalo
Hempstead
Ithaca
Mt. Vernon
New York City
Niagara Falls
Rochester
Rockville Centre
Schenectady
White Plains

NIEUW MEXICO
Albuquerque

NOORD-CAROLINA
Asheville
Chapel Hill
Durham

OHIO
Brooklyn
Dayton
Garfield Heights
Middletown

Toledo

OKLAHOMA
Norman North

OREGON
Corvallis
Eugene
Lake Oswego
Portland

PENNSYLVANIË
Erie
Philadephia

RHODE ISLAND
Pawtucket
Providence
Warwick

TEXAS
Arlington
Austin
Denton
Euless
Hurst
Laredo
McKinney

UTAH
Moab
Park City
Salt Lake City

VERMONT
Burlington

VIRGINIA
Alexandria
Charlotteville
Virginia Beach

WASHINGTON
Auburn
Bainbridge Island
Bellingham
Burien
Edmonds
Issaquah
Kirkland
Lacey
Lynnwood
Olympia
Redmond
Renton
Seattle
Tacoma
Vancouver

WASHINGTON, DC

WISCONSIN
Ashland
Greenfield
La Crosse
Madison
Racine
Washburn
Wauwatosa
West Allis

ZUID-CAROLINA
Charleston
Sumter

Maar hoe zit het met de rest van ons?

Uiteindelijk komt het neer op deze vraag: zijn wij in staat tot grootse daden, ook als ze misschien moeilijk zijn?

Zijn we in staat om over onze beperkingen heen te stappen en de verantwoordelijkheid te nemen om ons lot zelf te bepalen?

Uit het verleden mogen we afleiden dat we dat vermogen hebben.

We maakten revolutie en vestigden een nieuwe natie, gebaseerd op vrijheid en de waarde van het individu.

We bevochten op twee fronten het fascisme – in de gebieden van de Atlantische Oceaan en de Stille Zuidzee. We wonnen die oorlogen en we wonnen de vrede die daarop volgde.

We namen het morele besluit dat slavernij verkeerd was en dat ons land niet voor de helft uit vrije mensen en voor de helft uit slaven kon bestaan.

We erkenden dat vrouwen stemrecht hebben.

We vonden remedies tegen gevreesde ziekten zoals kinderverlamming en pokken, en verbeterden de kwaliteit van het leven en onze levensverwachting.

We gingen de morele uitdaging aan om de rassenscheiding op te heffen en legden mensenrechten wettelijk vast om onrecht tegen minderheden tegen te gaan.

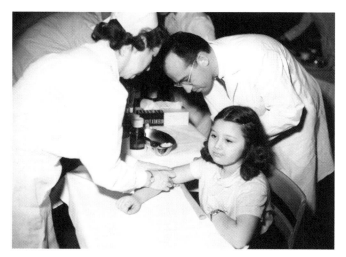

We landden op de maan, een van de inspirerendste voorbeelden van wat we kunnen bereiken als we ergens onze zinnen op zetten.

ASTRONAUT BUZZ ALDRIN VAN
DE APOLLO 11 OP DE MAAN, 1969

We hebben zelfs al eens eerder een mondiale milieucrisis opgelost. Men zei dat het probleem van het gat in de ozonlaag onoplosbaar was omdat dit probleem een wereldwijde oorzaak had. Het zou de medewerking van elk land ter wereld vereisen om dit aan te pakken. Toch namen de vs eensgezind – met een Republikeinse president en een Democratisch Congres – hierin de leiding. We ontwierpen een verdrag, verzekerden ons van wereldwijde instemming en begonnen de chemische stoffen (chloorfluorkoolwaterstoffen: cfk's) die het probleem veroorzaakten uit te bannen.

HET SUCCESVERHAAL OVER CFK's

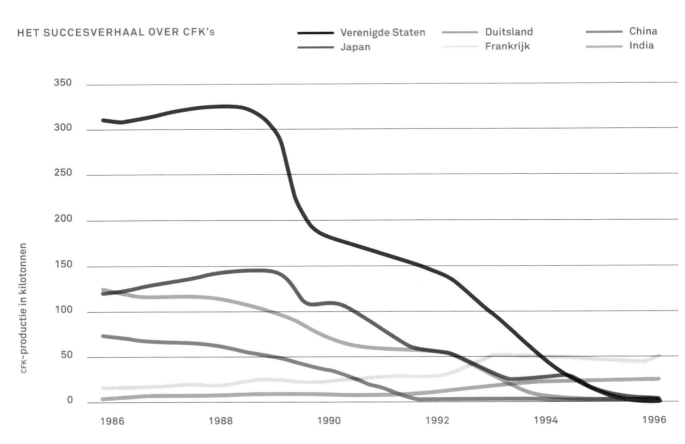

Verenigde Staten   Duitsland   China
Japan   Frankrijk   India

Productie van chloorfluorkoolwaterstoffen in een aantal landen tussen 1986 en 1996   BRON: UNEP, 1999

Nu zijn we, overal ter wereld, goed op weg om het probleem met de ozon in de stratosfeer op te lossen.

HET HERSTEL VAN DE OZONLAAG

Ooit kon een koelkast je dood worden. Vroege modellen gebruikten giftige en explosieve gassen om te koelen. In 1927 vond de chemicus Thomas Midgley, die eerder al het maken van gelode benzine op zijn naam schreef, chloorfluorkoolwaterstoffen uit. Deze 'CFK's' konden die levensgevaarlijke gassen vervangen. De innovatieve CFK's brachten een revolutie in koeling teweeg. Uiteindelijk werd deze schijnbaar ongevaarlijke familie van chemische stoffen in allerlei producten toegepast.

Tegen het jaar 1974 waren over de hele wereld miljoenen koelkasten met CFK's verkocht. In die tijd begonnen twee wetenschappers de effecten van deze stoffen nader te bestuderen. Dr. F. Sherwood Rowland en dr. Mario Molina kwamen met de theorie dat deze stoffen, eenmaal doorgedrongen tot in de bovenste laag van de atmosfeer, door zonlicht worden afgebroken, en dat het chloor dat daarbij vrijkomt in de ozonlaag een gevaarlijke kettingreactie in gang zet.

Ozon bestaat uit een eenvoudige combinatie van drie zuurstofmoleculen en beschermt ons door z'n aanwezigheid in de stratosfeer tegen de gevaarlijkste zonnestraling. Rowland en Molina geloofden dat chloor zich op het oppervlak van kleine ijsdeeltjes in de stratosfeer met ozon zou mengen en dat het onder invloed van zonnestralen de kwetsbare dunne beschermende ozonlaag zou wegvreten. In dat geval zou de ultraviolette straling van de zon ongehinderd door de atmosfeer kunnen heendringen en de gezondheid van plant en dier schaden, huidkanker veroorzaken en zelfs het gezichtsvermogen van onze ogen aantasten.

Rowland en Molina kregen in 1995 samen met Paul Crutzen de Nobelprijs voor hun werk op het gebied van scheikundige processen in de atmosfeer. Belangrijker was dat ze alarm sloegen over de afname van de hoeveelheid ozon in de stratosfeer. Aanvankelijk had hun werk alleen aandacht gekregen van wat milieudeskundigen en vakgenoten, maar Rowland en Molina bleven nieuwe ontdekkingen doen en kwamen met steeds nauwkeurigere voorspellingen. In 1984 werd boven Antarctica een enorm gat in de ozonlaag ontdekt, precies zoals ze voorspeld hadden.

Dit bracht de zaak in beweging. In 1987 ondertekenden 27 landen het Montreal Protocol, het eerste mondiale milieuverdrag, om het gebruik van CFK's te reguleren. Naarmate het wetenschappelijk inzicht verder groeide, tekenden steeds meer landen het verdrag. Bij de laatste telling waren het er 183. En bij elke ontmoeting worden de tekst en de eisen verder aangescherpt. VN-secretaris Kofi Annan noemde het

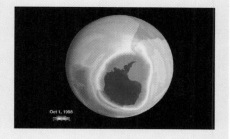

Oct 1, 1998

Montreal Protocol 'misschien wel het succesvolste internationale verdrag van dit moment'. Het effect is aanzienlijk: sinds 1987 zijn de concentraties van de gevaarlijkste CFK's en verwante verbindingen gestabiliseerd of lager geworden. En al kost volledig herstel van de ozonlaag meer tijd dan gedacht, onze inspanningen betekenen een flinke stap voorwaarts.

Meer moeite zal het kosten om broeikasgassen onder controle te krijgen. CO_2, de belangrijkste daarvan, is veel nauwer met de wereldeconomie verbonden dan CFK's ooit geweest zijn. Het zal nog een hele uitdaging zijn om onze industrieën dingen af te leren en onze persoonlijke gewoontes te veranderen. Maar ondanks vaak tegengestelde politieke en economische belangen kunnen we wereldwijd samenwerken om fouten te herstellen, zo weten we sinds onze 'CFK-ervaring'.

Nu is het aan ons om gebruik te maken van onze democratie en het door God gegeven vermogen om met elkaar na te denken over onze toekomst, om morele keuzes te maken die het beleid en het gedrag veranderen, omdat er anders voor onze kinderen en kleinkinderen en voor de mensheid slechts een afgedankte, onttakelde en vijandige planeet resteert.

Daarom moeten we ervoor kiezen om van de eenentwintigste eeuw een tijd van vernieuwing te maken. Door de kansen die in deze crisis besloten liggen te grijpen kunnen we onze creativiteit, innovatieve kracht en inspiratie de vrije loop laten. Die kwaliteiten hebben we net zo goed bij onze geboorte meegekregen als onze ontvankelijkheid voor hebzucht en kleingeestigheid.

De keuze is aan ons. De verantwoordelijkheid ligt bij ons. De toekomst is van ons.

REGIO S106 IRS4, EEN GEBIED WAAR STERREN GEBOREN WORDEN, GEZIEN MET DE SUBARU-TELESCOOP MAUNA KEA

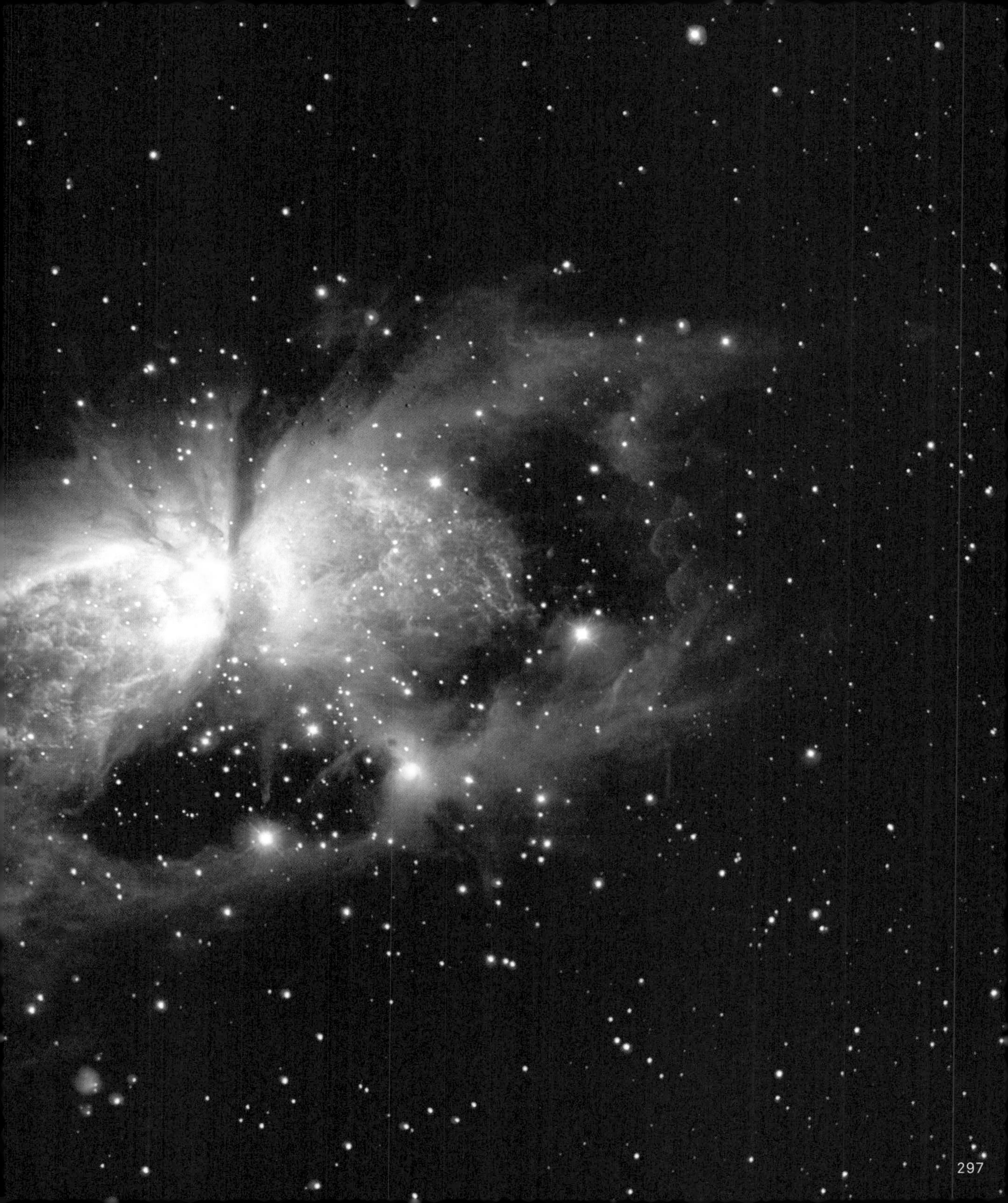

Een van de onbemande ruimtevaartuigen die Amerika jaren geleden lanceerde om het heelal te verkennen nam een foto van de aarde op het moment dat het ruimteschip het aardse aantrekkingveld verliet. Een foto van onze planeet, die langzaam ronddraait in de lege ruimte. Jaren later, toen dit ruimteschip bijna 6,5 miljard kilometer voorbij ons zonnestelsel had gereisd, kwam wijlen Carl Sagan met de suggestie dat NASA het ruimteschip een signaal zou sturen om zijn camera's nog eens op de aarde te richten en vanaf die ongelooflijke afstand opnieuw een foto van de aarde te nemen. Dit is het beeld dat we ontvingen. Die lichtblauwe stip in het midden van de band van licht die rechts op de foto te zien is, dat zijn wij.

Sagan noemde de aarde een 'lichtblauwe stip' en wees erop dat alles wat er ooit in de gehele menselijke geschiedenis is gebeurd zich heeft afgespeeld op die ene nietige pixel. Alle triomfen en tragedies. Alle oorlogen. Alle hongersnoden. Alle grote stappen van vooruitgang.

Die stip is ons enige huis.

Dat is wat er op het spel staat. Of we op deze planeet kunnen leven, of we als beschaving een toekomst hebben.

Ik ben ervan overtuigd dat dit een morele kwestie is.

We moeten nu in actie komen om onze toekomst veilig te stellen.

Wat kun je zelf doen tegen klimaatverandering?

Als je bedenkt hoe groot het probleem van de opwarming van de aarde is, voel je je snel overweldigd en machteloos en sta je sceptisch tegenover de gedachte dat individuele inspanningen iets zouden kunnen uithalen. Toch moeten we daar niet aan toegeven, want de crisis zal alleen opgelost worden als individuen hun verantwoordelijkheid nemen. Door onze kennis en die van anderen te vergroten, door onze bijdrage te leveren om het gebruik en de verspilling van natuurlijke hulpbronnen te minimaliseren, door politiek actiever te worden en verandering te eisen – op deze en vele andere manieren kan ieder van ons zijn steentje bijdragen.

Op de volgende pagina's vind je een reeks praktische stappen die iedereen kan zetten om de druk van onze hightech-leefwijze op onze leefomgeving te verminderen. Daarmee dragen we niet alleen bij aan een mondiale oplossing, maar we verhogen misschien ook nog de kwaliteit van ons leven. In een aantal gevallen krijg je er ook meetbaar iets voor terug. Je bespaart geld wanneer je minder elektriciteit en brandstof gebruikt. Je conditie verbetert als je meer wandelt en fietst. Lokaal verbouwde producten smaken beter en hebben meer voedingswaarde, en schonere lucht is gezonder. En werken aan een wereld waarin de natuurlijke balans hersteld wordt, verzekert onze kinderen en kleinkinderen van een toekomst.

Je kunt een begin maken door je te verdiepen in hoe onze leefwijze het milieu beïnvloedt. Wij dragen namelijk *allemaal* bij aan klimaatverandering door de dagelijkse keuzes die we maken, of het nu gaat om de energie die we thuis gebruiken of de voertuigen waarin we rijden, de producten en diensten die we afnemen of het afval dat we produceren. De gemiddelde Amerikaan is verantwoordelijk voor een emissie van ongeveer bijna zeven ton kooldioxide per jaar. Deze uitstoot per hoofd van de bevolking is groter dan die in elk ander geïndustrialiseerd land. Een land waarin ongeveer vijf procent van de wereldbevolking leeft is verantwoordelijk voor bijna 25 procent van de totale uitstoot van broeikasgassen op aarde.

Op www.climatecrisis.net kun je berekenen hoeveel broeikasgas je produceert en zo inzicht krijgen in jouw invloed op het klimaat. Op de site is het mogelijk om met behulp van een interactieve energiemeter je huidige individuele 'voetafdruk' voor CO_2-emissie te bepalen. Dit is ook een hulpmiddel om vast te stellen welke onderdelen van je leefwijze de grootste emissies opleveren. Gewapend met deze informatie kun je beginnen om gericht actie te ondernemen en toe te werken naar een kooldioxide-neutrale leefwijze.

Bij deze Nederlandse vertaling zijn in de tekst de oorspronkelijke verwijzingen naar (vaak Amerikaans georiënteerde) websites aangehouden. Ter afsluiting van dit hoofdstuk (pag. 321) staan sites vermeld met informatie voor de Europese/Nederlandse situatie

Bespaar thuis energie

Verminder de CO_2-uitstoot van je energiegebruik thuis
Thuis kunnen de meeste mensen het gemakkelijkst en meest direct de uitstoot van broeikasgassen verminderen. De grootste emissies zijn het gevolg van het stoken van fossiele brandstoffen voor warmte en elektriciteit. Er kan heel veel worden gedaan om deze emissies terug te dringen. Met zoiets als het verwisselen van een paar lampen kun je de eerste stap in energiebesparing zetten.

Energie besparen is niet alleen goed voor het klimaat maar bespaart ook kosten. De keuze voor energie-efficiënte alternatieven thuis kan de energierekening voor een gezin met een derde verlagen, terwijl de uitstoot van broeikasgas navenant afneemt. Er zijn veel dingen die tegen geen of geringe kosten gedaan kunnen worden, maar er zijn er ook die een kleine investering vergen die zich later zal terugbetalen in lagere energierekeningen. Enkele tips om thuis energie te besparen:

Kies energiezuinige verlichting

Een vijfde van alle elektriciteit die in de Verenigde Staten wordt gebruikt gaat op aan verlichting. Een van de gemakkelijkste en kosteneffectieve manieren om thuis het energieverbruik, de energiekosten en de uitstoot van broeikasgas omlaag te brengen, is het vervangen van gloeilampen door zeer efficiënte en compacte fluorescentielampen (CFLS). Deze passen in de meeste normale fittingen en geven met een veel grotere energie-efficiëntie hetzelfde warme licht. De traditionele gloeilamp is qua energiegebruik bijzonder inefficiënt. Slechts tien procent van de energie wordt omgezet in licht; de rest gaat verloren in de vorm van geproduceerde warmte. Spaarlampen zijn duurder in aanschaf maar gaan tot 10.000 uur mee (tien keer langer dan een gloeilamp) en verbruiken 66 procent minder energie.

Als elk huishouden in de Verenigde Staten slechts één enkele gloeilamp voor zo'n spaarlamp zou verruilen, dan zou dat in effect gelijk staan aan het verwijderen van een miljoen auto's van de Amerikaanse wegen.

▶ **Spaarlampen zijn online aan te schaffen: op www.efi.org of www.nolico.com/saveenergy/**

Kies bij nieuwe aankopen voor energiezuinige apparaten

Eén van de belangrijkste mogelijkheden van consumenten om de energie-efficiëntie thuis te verbeteren doet zich voor bij het kiezen van grote apparaten zoals kooktoestellen, boilers, airco's en koelkasten. Een keuze voor modellen die op energiezuinigheid zijn ontworpen zal na verloop van tijd een kostenbesparing opleveren en scheelt de uitstoot van broeikasgassen. De Energie Star Program Website van het Environmental Protection Agency in de vs biedt consumenten bruikbare informatie om hen bij hun keuze te helpen.

▶ Voor informatie over de nieuwste energie-efficiënte apparaten zie www.energystar.gov/products

Gebruik en onderhoud apparaten goed

De aanschaf van energiezuinigere apparaten is een goede eerste stap om de uitstoot van broeikasgas te verminderen, maar je kunt ook de energiezuinigheid van oudere apparaten verbeteren. Zo moet een koelkast niet naast warmtebronnen zoals een vaatwasmachine of een wasmachine geplaatst worden, omdat deze anders overuren draait om te koelen. Houd ook het rooster van de condensator stofvrij zodat de lucht ongehinderd langs deze warmtewisselaar kan stromen. Filters in een apparaat moeten regelmatig schoongemaakt worden. Zo is het ook energiezuiniger om de vaatwasmachine of afwasmachine volledig gevuld te laten draaien en deze niet steeds voor het wassen van kleine hoeveelheden aan te zetten. Als je de tijd hebt, was dan de vaat met de hand en gebruik een waslijn in plaats van een wasdroger.

▶ Het American Council for Energy Efficient Economy heeft een checklist beschikbaar voor energiebesparing in huis, inclusief gebruiksaanwijzingen voor apparaten. De site heeft ook een uitgebreide sectie veelgestelde vragen (FAQ) en biedt een boek aan dat je kunt bestellen als je behoefte hebt aan uitgebreidere informatie. Surf naar: http//aceee.org/consumerguide/chklst.htm. Voor meer tips: http://eartheasy.com/live_energyeffic_appl.htm

Verwarm en koel het huis op efficiënte wijze

Verwarming en koeling kunnen een grote post vormen in het energieverbruik van huishoudens, in Amerika doorgaans zo'n 45 procent van het totale energiegebruik van een huishouden. Let daarom op de afstelling van de thermostaat, zodat onnodige verwarming of koeling vermeden wordt. De thermostaat van de verwarming 's winters een paar graden lager en die van de airco 's zomers een paar graden hoger zetten kan een enorme energiebesparing opleveren. Het gebruik van een programmeerbare thermostaat maakt het bovendien mogelijk om temperaturen automatisch te laten bijstellen op momenten dat je bijvoorbeeld slaapt of uit huis bent. Installeer 'slimme meters' waar mogelijk en onderzoek, als je een airco hebt, of je het huis met één apparaat van warmte en koude kunt voorzien.

Isoleer het huis

Een goede isolatie van het huis bespaart kosten omdat het voorkomt dat er energie weglekt. Een tochtig huis laat in de winter warmte, en in de zomer kou ontsnappen. Dit vraagt meer van de verwarmings- en koelsystemen en het vergt dus meer energie om het huis op een comfortabele temperatuur te houden.

Maak tochtkieren bij ramen en deuren dicht. Overweeg over te stappen op dubbel glas. Dicht ook op zolder alle spleten en voorkom koudebruggen. Isoleer de boiler en warmwaterleidingen.

▶ Voor meer specifieke informatie zie: www. simplyinsulate.com

▶ Ook de checklist Ten Simple Ways to Cut Energy Costs van de Consumer Federation of America bevat deze en andere tips om je broeikasemissie te verminderen. Zie: www. buyenergyefficient.org

Onderwerp je huis aan een energiescan

Je huis volledig doorlichten op energie helpt je te ontdekken op welke punten je woning het meest energie-onzuinig is. Een informatieve doe-het-zelftest voor zo'n scan vind je op www.energyguide.com. Deze site helpt je stap voor stap je hele huis onder de loep te nemen, waarbij ook factoren als de indeling, het aantal kamers en het type verwarmingssysteem worden meegenomen. Daarbij geeft de site je suggesties op maat over besparingsmogelijkheden, inclusief hulpmiddelen waarmee de potentiële besparing kunt uitrekenen. In Amerika besteedt een doorsnee huishouden per

jaar ongeveer 1500 dollar aan energie en het kan daarop zo'n 450 dollar of meer besparen door het invoeren van enkele eenvoudige maatregelen. Er zijn ook professionele bureaus die 'energie prestatieadviezen' uitbrengen

▶ Om een energiespecialist in jouw omgeving te vinden kun je contact opnemen met het energiebedrijf of het regionale energiebureau of surfen naar www.natresnet.org/directory/ rater_directory.asp # Search

Bespaar op heet water

Warm water is een van de grote posten in het energieverbruik van huishoudens. Hier valt energie te besparen door de watertemperatuur niet boven de 49°C af te stellen. Douchen kost minder warm water dan het nemen van een bad en bespaart nog meer bij gebruik van een zuinige douchekop.
Denk ook na over het waterverbruik van apparaten zoals vaatwasmachines

De tien meest voor- komende misvattingen over klimaatverandering

MISVATTING 1

'Wetenschappers zijn het er nog niet over eens of mensen de klimaatverandering op aarde veroorzaken.'

In werkelijkheid bestaat er juist een sterke wetenschappelijke consensus over het feit dat menselijke activiteiten het klimaat op aarde veranderen. Wetenschappers zijn het er in overweldigende meerderheid over eens dat de aarde opwarmt, dat mensen deze trend veroorzaken en dat de opwarming steeds meer schade zal aanrichten als we broeikasgassen de atmosfeer in blijven pompen.

en wasmachines, want sommige modellen gebruiken minder warm water dan andere. Zo zijn frontladers doorgaans zuiniger dan wasmachines die je van bovenaf vult. Wassen op lagere temperatuur kan ook een grote energiebesparing opleveren.

Verminder het gebruik in de stand-by stand

Veel apparaten, waaronder tv's, dvd-spelers, telefoonladers en alle andere apparaten met een afstandsbediening, batterijlader, intern geheugen, een AC-adaptor plug of constante display of sensor, gebruiken stroom – ook als ze uitgeschakeld zijn. Zo kan een kwart van het energiegebruik van een tv worden bepaald door stroomverbruik terwijl het toestel uit staat. Je kunt er alleen maar zeker van zijn dat het apparaat geen stroom gebruikt als je de stekker uit het stopcontact hebt getrokken. Je kunt ook stekkerblokken met schakelaar gebruiken. Deze gebruiken weliswaar ook een kleine hoeveelheid energie maar veel minder dan de sluipstroom die naar de apparaten gaat als ze direct met het elektriciteitsnet verbonden zijn.

▶ **Voor meer informatie over stand by-energiegebruik: www.standby.lbl.gov/index. html en www.powerint.com/greenroom/faqs/ htm**

MISVATTING 2

'Er zijn zo veel factoren die het klimaat kunnen beïnvloeden, dat er geen reden is om alleen CO_2 eruit te pikken als factor waar we ons zorgen over moeten maken.'

Het klimaat is voor meer zaken gevoelig dan alleen CO_2, bijvoorbeeld ook voor zonnevlekken en waterdamp. Maar dit bewijst juist hoezeer we ons zorgen zouden moeten maken over CO_2 en andere broeikasgassen. Dat het klimaat zich zo gevoelig heeft getoond voor vele soorten natuurlijke veranderingen in het verleden zou ons moeten alarmeren. We moeten scherp letten op de enorme en nooit eerder vertoonde veranderingen die we veroorzaken. Wij zijn sterker geworden dan welke andere natuurkracht ook.

Verbeter de energie-efficiëntie op de werkplek thuis

Energiezuinige computers kennen een slaapstand die je kunt activeren via (Windows): Start/ Instellingen/ Configuratiescherm/ Energiebeheer. Omdat computers veelal aan blijven staan als ze niet gebruikt worden, kan zo'n functie zeventig procent besparen op de hoeveelheid stroom die een computer normaal gebruikt. Wees je er ook bewust van dat laptop-computers zo'n negentig procent zuiniger kunnen zijn dan gewone desktop-computers. Inkjetprinters gebruiken negentig procent minder energie dan laserprinters en het afdrukken in zwart-wit kost minder energie dan printen in kleur. Als dat mogelijk is, kies dan voor multifunctionele apparaten die kunnen printen, faxen, kopiëren en scannen. Deze gebruiken minder energie dan de individuele apparaten bij elkaar.

▶ **Voor meer informatie over Energy Star computers, printers en andere kantooruitrusting: bezoek www.energystar. gov/index.cfm?c=ofc_equip.pr_office_ equipment**

Stap over op groene energie

Hoewel het merendeel van de energie in de vs afkomstig is van fossiele brandstoffen, kiezen steeds meer mensen voor energie die is opgewekt door gebruik te maken van schonere bronnen, zoals de zon, de wind, aardwarmte of het verbranden van biomassa.

▶ **Voor meer informatie over de diverse alternatieve energiebronnen, surf naar: www.eere.energy.gov/consumer/renewable_energy**

De toepassing van wind- en zonne-energie neemt overal ter wereld een enorme vlucht.

▶ **Voor meer informatie over zonne-energie: www.ases.org**
Over windenergie: www.awea.org

Er is een aantal manieren om mee te helpen aan deze verschuiving naar hernieuwbare energie. Steeds meer eigenaren van woningen en kantoren wekken hun eigen energie op via zonnecellen, windturbines of geothermische warmwaterpompen. In de vs zijn naar schatting 150.000 huishoudens op die manier zelfvoor–zienend, geheel losgekoppeld van het energienet. Een nog groter aantal huishoudens heeft de afhankelijkheid van dat net verkleind en maakt daar alleen gebruik van in aanvulling op de zelf opgewekte energie.

In sommige Amerikaanse staten kunnen huishoudens en bedrijven die meer stroom opwekken dan ze nodig hebben het overschot door teruglevering aan het energienet verkopen. Dit kan door de stroom te bemeteren in twee richtingen, ook wel netto-bemetering genoemd. Op deze wijze kunnen mensen niet alleen hun eigen CO_2-emissie verminderen maar ook het net van schone energie voorzien.

▶ **Voor meer informatie over netto-bemetering, zie: www.awea.org/faq/netbdef.html**

In veel Amerikaanse staten en gemeenten komen hernieuwbare-energieprojecten in aanmerking voor belastingvoordeel of subsidies.

▶ **Bezoek voor meer informatie de Database of State Icentives for Renewable energy op www.dsireusa.org**

Wie niet zelf groene energie kan opwekken, kan – in veel delen van Amerika – groene energie afnemen van zijn/haar energieleverancier. Deze energie kan iets meer kosten dan de conventioneel opgewekte energie, maar over het algemeen is dit verschil verwaarloosbaar. Het prijsverschil wordt naar verwachting nog geringer naarmate meer consumenten voor deze optie kiezen.

▶ **Surf voor meer informatie naar www.epa/gov/greenpower of naar: www.eere.energy.gov/greenpower**

Als je geen groene energie geleverd kunt krijgen heb je nog de mogelijkheid je energiegebruik klimaatneutraal te maken door compensatie (bijv. met de Tradeable Renewable energy Certificates).

▶ **Voor meer informatie: www.green-e.org**

Verplaats je met minder energie

Dring de emissies van auto's en andere transportmiddelen terug.
Een groot deel van de CO_2-uitstoot (in de vs bijna een derde deel) is afkomstig van auto's, vrachtwagens, vliegtuigen en andere voertuigen die ons van A naar B brengen of die worden ingezet bij de productie of de aflevering van de goederen en diensten die we gebruiken. Voor meer dan negentig procent gaat het om autoritten, zodat eisen aan het brandstofverbruik van deze voertuigen van groot belang zijn. Het gemiddelde brandstofgebruik van personenauto's is in de laatste tien jaar toegenomen, vooral vanwege de gestegen populariteit van de suv's en 'light trucks'. Nieuwe regels met strengere eisen voor deze voertuigen zullen deze trend hopelijk keren en verdere verbeteringen op het gebied van brandstofzuinigheid, alternatieve brandstoffen en hybride technologie zullen meer milieuvriendelijke alternatieven gaan bieden. Hier volgen enkele oplossingen die in het verschiet liggen, en een paar dingen die je ondertussen al kunt doen om de door reizen veroorzaakte kooldioxide-emissies te verminderen.

Maak minder autokilometers door te gaan wandelen, fietsen, carpoolen of zoveel mogelijk gebruik te maken van openbaar vervoer en groepsvervoer.

De gemiddelde auto in de vs stoot zo'n 280 gram kooldioxide per gereden kilometer uit. Dertig vermeden autokilometers per week zouden dus in een jaar naar schatting zo'n 435 kilo CO_2 schelen.

▶ Wanneer je voor betere voetgangers-faciliteiten wilt lobbyen, kijk op dan op www.amaricawalks.org. Voor betere fietsfaciliteiten surf je naar www.bikeleage.org.

▶ In de vs is gratis gebruik te maken van een nationale dienst (www.erideshare.com) die helpt om reizen af te stemmen met andere forenzen.

▶ Meer informatie over het gebruik en ondersteuning van het openbaar vervoer is te vinden op www.publictransportation.org

Rij slimmer: het nieuwe rijden

Met een paar eenvoudige veranderingen in je rijgedrag kun je het brandstofverbruik van je auto gunstig beïnvloeden en zo – als je moet rijden – minder broeikasgas uitstoten. Vermijd, als het kan, om in het spitsuur te rijden. Je zult dan minder tijd verspillen in het verkeer en de auto zal minder brandstof gebruiken. Houd je aan de maximumsnelheid, en niet alleen om veiligheidsredenen: boven de 90 kilometer per uur vliegt het brandstofverbruik omhoog. Laat de motor niet onnodig stationair draaien en houd de auto in een goede technische staat. Regelmatig onderhoud verbetert de prestaties en vermindert de uitstoot. En plan de reizen zoveel mogelijk van tevoren, waarbij je verschillende bestemmingen in één reis probeert te combineren.

Voor specifieke informatie over zuinig rijden zie: www.fueleconomy.gov/feg/driveHabits.shtml

Kies bij aanschaf van de volgende auto een zuiniger type

Door de recente stijgingen van de brandstofprijzen is de belangstelling voor het brandstofverbruik van auto's toegenomen. Met een auto met een zuiniger gebruik rij je goedkoper en verminder je de hoeveelheid kooldioxide die je met het rijden uitstoot. Bij de verbranding van een liter benzine komt ongeveer twee kilo kooldioxide in de atmosfeer terecht. Een auto die in plaats van 1 op 7, 1 op 9 rijdt produceert tien ton kooldioxide minder tijdens de eerste verreden 160.000 kilometers. Zuiniger auto's hoeven niet minder comfortabel te zijn.

▶ Je kunt het geschatte brandstofgebruik van de meeste autotypen bekijken in de online Green Vehicle Guide van het US Department of Energy, te vinden op: www.epa.gov/autoemissions of op www.fueleconomy.gov

Hybride auto's

Hybride auto's rijden op zowel benzine als elektriciteit. Omdat de accu's tijdens het rijden worden opgeladen hoeven deze auto's nooit aan het stopcontact. Omdat de elektrische motor de gewone verbrandingsmotor assisteert, verbruiken hybride auto's veel minder benzine en rijden ze veel schoner. Sommige hybride auto's halen een verbruik van 1 op 17.
De vraag naar deze auto's groeit razendsnel en vele nieuwe modellen – waaronder ook sedans, hatchbacks, suv's en pick ups – zijn nu of binnenkort te koop.

▶ Voor meer informatie over de techniek van hybride auto's, en voor het vergelijken van modellen: www.hybridcars.com

Alternatieve brandstoffen

'De brandstof van de toekomst zal worden gehaald uit fruit, zoals dat van de *sumac*-boom langs de kant van de weg, uit appels, uit onkruid en uit zaagsel - uit bijna van alles. Er zit brandstof in elk stukje plantaardig materiaal dat vergist kan worden. Er zit genoeg alcohol in de hoeveelheid aardappelen die je in één jaar van een akker afhaalt om daarmee de machines die voor de bewerking van het land nodig zijn honderd jaar te laten draaien.' Henry Ford kwam met deze voorspellende woorden in 1925. Zo'n negentig jaar later zien we hoe dergelijke innovaties worden toegepast, waaronder het gebruik van vele soorten biobrandstof. Deze worden van hernieuwbaar plantaardig materiaal gemaakt, waaronder maïs, hout en sojabonen. De meest gebruikte biobrandstoffen zijn op dit moment biodiesel en ethanol.

▶ Voor meer informatie over deze en andere alternatieve brandstoffen: het Alternative Fuels Data Center van de US Department of Energy, www.afdc.doe.gov/advanced_cgi.shtml

---

MISVATTING 3

'Het klimaat varieert door de tijden heen, dus als we nu verandering zien is dat gewoon onderdeel van een natuurlijke cyclus.'

Het klimaat ondergaat inderdaad natuurlijke veranderingen. Door het bestuderen van jaarringen in boomstammen, ijsboringen en andere natuurlijke 'archieven' waarin klimaatveranderingen in het verleden zijn vastgelegd, weten onderzoekers dat klimaatveranderingen, waaronder zeer abrupte, door de geschiedenis heen voorkwamen. Al deze veranderingen traden echter op bij natuurlijke variaties in de CO_2-concentraties die kleiner waren dan de verandering die we nu veroorzaken. IJskernen uit diepgelegen ijslagen van Antarctica tonen aan dat CO_2-concentraties nu hoger zijn dan op enig ander moment in de afgelopen 650.000 jaar. Dit betekent dat we over de grenzen zijn gegaan van wat nog een natuurlijke klimaatverandering is. Meer CO_2 in de atmosfeer betekent oplopende temperaturen.

Voertuigen met brandstofcel

Een waterstofbrandstofcel zet pure waterstof of een waterstofrijke brandstof direct om in energie. Auto's die met zo'n brandstofcel worden aangedreven kunnen twee keer zo efficiënt zijn als conventionele auto's van dezelfde grootte, of zelfs nog efficiënter door nieuwe technologieën. Een brandstofcelvoertuig (FCV) dat pure waterstof gebruikt produceert geen vervuilende stoffen, alleen water en warmte. Hoewel het om een fascinerende techniek gaat, kost het nog wel meerdere jaren voordat deze de markt massaal kan veroveren.

▶ Meer over brandstofceltechnologie is te vinden op:

www.fueleconomy.gov/feg/fuelcell.shtml

Telewerken vanuit huis

Telewerken is nog een manier om het aantal autokilometers te beperken. Je brengt minder tijd door op de weg en kunt in de tijd die je daaraan kwijt zou zijn werken.

▶ Meer informatie over telewerken: Telework Coalition, www.telcoa.org

Vlieg minder

Ook vliegen is een vorm van mobiliteit waarbij grote hoeveelheden kooldioxide vrijkomen. Eén of twee vluchten minder per jaar scheelt aanzienlijk op

deze emissies. Houd dichter bij huis vakantie, of kies de trein, de boot, of zelfs de auto.

Bussen zijn goedkoop en de meest energie-efficiënte wijze van vervoer. Treinen zijn minstens twee keer zo energie-efficiënt als vliegtuigen. Als je voor je werk vliegt, overweeg dan of je in plaats daarvan niet via telecommunicatie kunt werken. En als je moet vliegen, overweeg dan geld uit te geven aan compensatie van de emissies die de vliegreis veroorzaakt.

▶ Voor hulp bij het plannen van milieuvriendelijk reizen en het kopen van kooldioxide-compensatie: www. betterworldclub.com/travel/index.htm

---

MISVATTING 4

'Het gat is de ozonlaag wordt veroorzaakt door de opwarming van de aarde.'

Er is wel een relatie tussen klimaatverandering en het gat in de ozonlaag, maar niet deze. De ozonlaag is het deel van bovenste laag van de atmosfeer die hoge concentraties ozongas bevat en daarmee de planeet beschermt tegen straling van de zon. Het gat in deze laag is te wijten aan chemische stoffen die de mens gemaakt heeft, de zogenaamde CFK's. Door een internationaal verdrag, het Montreal Protocol, zijn deze stoffen uitgebannen. Als gevolg van het gat bereikt meer UV-straling het aardoppervlak, maar dit beïnvloedt niet de temperatuur van de aarde.

Het enige verband tussen de ozonlaag en klimaatverandering is bijna exact het tegenovergestelde van het fabeltje dat met de bovenstaande bewering wordt verteld. De opwarming van de aarde – die niet de oorzaak is van het gat in de ozonlaag – zou wel het natuurlijk herstel van de ozonlaag kunnen vertragen. Bij de opwarming van de aarde wordt het warmer in het onderste gedeelte van de atmosfeer, maar juist kouder in de stratosfeer. Het laatste kan leiden tot een groter verlies van ozon in de stratosfeer.

Consumeer minder, bewaar meer

In de rijke geïndustrialiseerde landen zijn we gewend geraakt aan overvloed, met een enorm assortiment producten en de voortdurende verleiding om 'meer', iets 'nieuws' of iets 'beters' te kopen. Deze cultuur van consumeren is zo onderdeel geworden van onze leefwijze dat we uit het oog hebben verloren welke enorme tol we eisen van de wereld om ons heen. We moeten een nieuw bewustzijn kweken, zodat we zien hoe keuzes in ons koopgedrag en onze levensstijl het milieu beïnvloeden en CO_2-emissies veroorzaken. We kunnen dan positieve veranderingen in gang zetten om onze negatieve invloed te verminderen. Hier volgen wat specifieke tips om dit te bereiken.

Consumeer minder

Het produceren en transporteren van alles wat je koopt kost energie. In elk stadium van het voorafgaande proces vinden dus emissies plaats door verbranding van fossiele brandstoffen. Een goede manier om je energieverbruik te verminderen is eenvoudigweg: minder kopen. Stel jezelf – voordat je iets koopt – de vraag of je niet toe kunt met wat je al hebt. Of misschien kun je hetzelfde product lenen of huren. In Amerika beginnen steeds meer mensen hun leefstijl te vereenvoudigen en ervoor te kiezen minder te consumeren.

▶ Suggesties om je consumptie te verminderen zijn te vinden op: www.newdream.org

Koop dingen die lang meegaan

'Verminderen, hergebruiken en recyclen' is het motto geworden van een groeiende beweging die zich toelegt op een geringere afvalproductie en het terugdringen van emissies. Dit door minder te kopen, duurzame goederen te kiezen in plaats van wegwerpartikelen, door meer te laten repareren en door dingen die je zelf niet meer nodig hebt door te geven aan iemand die deze nog wel goed kan gebruiken.

▶ Voor meer informatie over 'verminderen, hergebruiken en recyclen': www.epa.gov/msw/reduce.htm

▶ Hoe je ongebruikte spullen een nieuwe bestemming kunt geven zie je op: www. freecycle.org

Voorkom en verminder afval in de aanschaffase

In Amerika bestaat het afval dat in stortplaatsen ligt voor ongeveer een derde deel uit afgedankte verpakkingsmaterialen. Grote hoeveelheden grondstoffen en fossiele brandstoffen worden elk jaar verbruikt voor het papier, plastic, aluminium, glas en piepschuim waarin onze aankopen verpakt zitten. Natuurlijk is er wel enige verpakking nodig om de producten die we nodig hebben te transporteren en te beschermen, maar te vaak gaan er om een verpakking nog weer meerdere lagen extra verpakkingsmateriaal. Je kunt bedrijven duidelijk maken dat je bezwaar hebt tegen zo'n buitensporige verpakking door hun producten te

MISVATTING 5

'We kunnen niets meer doen aan klimaatverandering. Het is al te laat.'

Dit is de ergste van alle misvattingen. Er zijn heel veel dingen die we kunnen doen, maar we moeten er wel nu mee beginnen. We kunnen de oorzaken en effecten van klimaatverandering niet meer negeren. We moeten ons gebruik van fossiele brandstoffen verminderen door een combinatie van overheidsinitiatieven, industriële innovatie en individuele actie. Veel van wat je kunt doen staat samengevat op deze pagina's.

boycotten. Kies producten die worden verpakt in materiaal uit hergebruik, of producten die bescheiden verpakt zijn. Kies, als dat mogelijk is, voor grootverpakkingen en kies de producten die in hervulbaar glas geleverd worden.

▶ **Voor meer ideeën over het voorkomen van afval:** www.environmentaldefense.org/article.cfm?contentid=2194

Recycle

In de meeste gemeenten in de VS zijn er mogelijkheden tot het gescheiden inleveren en recyclen van materialen zoals papier glas, en metalen. Hoewel ook het inzamelen, sorteren, reinigen en verwerken van deze materialen energie kost, is dit veel energiezuiniger dan het herbruikbare materiaal in een grote afvalstroom verloren te laten gaan om vervolgens uit primaire grondstoffen nieuw papier en nieuwe flessen en blikken te maken. Er is wel eens geschat wat het effect zou zijn als 100.000 mensen die nu niet recyclen dat wel zouden gaan doen. Ze zouden samen hun jaarlijkse CO_2-uitstoot met 42.000 ton verminderen. Bijkomend voordeel is dat recyclen ook vervuiling scheelt en natuurlijke grondstoffen bespaart. Ook de minder dagelijkse afvalstoffen zoals motorolie, banden, koelvloeistoffen en dakbitumen kunnen vaak gerecycled worden.

Verspil geen papier

Papierproductie is een van de energie-intensiefste industrieën. Er is wekelijks een heel bos nodig – meer dan een half miljoen bomen – om de Amerikanen van hun zondagsbladen te voorzien. Behalve papierrecycling valt er meer te doen. Je kunt het gebruik van papieren handdoekjes, servetten en dergelijke verminderen en in plaats daarvan de stoffen uitvoeringen gebruiken. Gebruik papier als het maar even kan tweezijdig. En maak een eind aan ongewenst reclamedrukwerk.

▶ **Hoe je je naam van verzendlijsten kunt laten verwijderen lees je op:** www.newdream.org/junkmail of op: www.dmaconsumers.org/offmailinglist.html

Draag levensmiddelen en andere aankopen in een herbruikbare tas

In Amerika gaan er jaarlijks grofweg 100 miljard boodschappentasjes over de toonbank. Er is wel geschat dat Amerikanen gezamenlijk 12 miljoen vaten olie per jaar nodig hebben voor het produceren van de plastic tasjes die na eenmalig gebruik worden weggegooid en die – als het afval niet wordt verbrand – pas na eeuwen verteerd zijn. Papieren zakken vormen in Amerika ook een probleem. Om ze sterk genoeg te maken voor zware inhoud worden deze meestal uit niet-gerecycled papier gemaakt, ten koste van bomen die kooldioxide fixeren. Naar schatting worden er jaarlijks 15 miljoen bomen gekapt voor de productie van de 10 miljard papieren zakken die jaarlijks in de vs gebruikt worden. Zorg dat je een herbruikbare tas bij je hebt als je boodschappen doet. Wanneer ze je dan vragen of je het een papieren zak of plastic tas wilt hebben kun je zeggen: 'Geen van beide.'

▶ Meer over de aankoop van herbruikbare boodschappentassen, feiten over tassen en wat te doen op dit gebied: www. reusablebags.com.

Composteren

Wanneer organisch afval, zoals keukenresten en bijeengeharkte bladeren, net als al het andere afval wordt afgevoerd en wordt gestort dan eindigt dit materiaal ergens diep in een afvalberg. Omdat daar geen zuurstof aanwezig is, vindt dan niet de gebruikelijke afbraak plaats, maar een vergisting waarbij methaan ontstaat. Dit gas is het meest krachtige van alle broeikasgassen. Voor wat betreft de opwarming van de aarde is het effect van methaan 23 keer zo groot als dat

van kooldioxide. Organisch materiaal dat ligt te rotten in stortplaatsen draagt in de Verenigde Staten voor ongeveer een derde bij aan de door de mens veroorzaakte methaanemissie. Als organisch materiaal echter gewoon in tuinen gecomposteerd wordt, blijven er voedingsstoffen over die je kunt gebruiken om de grond te verbeteren. En het scheelt natuurlijk ook stortruimte.

▶ Voor meer informatie over composteren: www.epa.gov/compost/index.htm of: www. mastercomposter.com

Neem zelf een hervulbare fles mee met water of frisdrank

Wanneer je steeds wegwerpflesjes koopt, kost dat een aanzienlijke hoeveelheid energie en grondstoffen. Schaf daarom een fles aan die je steeds weer zelf kunt vullen. Aan geïmporteerd water kleeft, behalve het bezwaar van de emissies bij productie van de verpakking, ook het bezwaar dat het veel energie kost om dit water van ver aan te voeren. Als zorgen over de kwaliteit van het kraanwater of de smaak je tegenhouden, overweeg dan om voor weinig geld een apparaat voor het reinigen of filteren van water

MISVATTING 6

'De ijsplaten van Antarctica groeien, dus het kan niet waar zijn dat de opwarming van de aarde gletsjers en zee-ijs laat smelten.'

Op sommige plaatsen op Antarctica neemt de hoeveelheid ijs misschien toe, maar in andere delen van het continent is het ijs duidelijk aan het smelten. Een nieuwe studie uit 2006 toont aan dat de totale hoeveelheid ijs op Antarctica afneemt. Dat op sommige plaatsen de ijsmassa groeit in plaats van krimpt, doet niets af aan het feit dat de mondiale opwarming wereldwijd gletsjers en zee-ijs doet smelten. Ongeveer 85 procent van de gletsjers treft dit lot. De wereldwijde trends die wetenschappers zien worden niet ontkracht door incidentele lokale effecten van klimaatverandering die de andere kant op wijzen. Uitzonderingen bevestigen ook hier de regel.

Sommige mensen claimen per abuis (zoals gebeurt in Michael Crichtons boek *State of Fear*) dat het ijs van Groenland aangroeit. In werkelijkheid, zo tonen recente satellietgegevens van NASA, wordt de ijskap van Groenland elk jaar kleiner, waardoor het zeeniveau stijgt. Het ijsverlies verdubbelde tussen 1996 en 2005. Alleen al in 2005 verloor Groenland vijftig km³ ijs.

aan te schaffen. Overweeg ook om grote flessen frisdrank te kopen om daaruit dagelijks de fles te vullen die je meeneemt. Je eigen beker meenemen of een thermoskan kan ook bijdragen aan een vermindering van het aantal wegwerpbekertjes dat gebruikt wordt – in Amerika 25 miljard per jaar.

▶ Meer informatie over de voordelen van het gebruik van hervulbare flessen op: www.grrn.org/beverage/refillables/index. html

Verander je voedingsgewoonten

In rijke landen wordt veel vlees gegeten. Zo eten Amerikanen ongeveer een kwart van al het rundvlees dat in de wereld geproduceerd wordt. Nog afgezien van gezondheidseffecten van het eten van grote hoeveelheden vlees: zo'n consumptie betekent een enorme CO_2-emissie. De productie van vlees kost veel meer energie uit fossiele brandstoffen dan het equivalent in plantaardige proteïnen.

MISVATTING 7

'De opwarming van de aarde is een goede zaak, want het verlost ons van koude winters en laat planten sneller groeien.'

Deze fabel lijkt onuitroeibaar. Omdat de lokale effecten variëren, is het waar dat het winterweer op bepaalde plaatsen aangenamer wordt. Dit lokale voordeel weegt echter niet op tegen het enorme negatieve effect van klimaatverandering. Neem de oceanen: veranderingen als gevolg van de opwarming van de aarde leiden al tot massaal afsterven van koraalriffen. Deze riffen bieden voedsel en onderdak aan tal van organismen in elke 'schakel' van de voedselketen en voeden zo uiteindelijk ook ons. Door smeltende ijsplaten stijgt het zeeniveau en als grote ijsplaten oplossen in zee zullen veel kuststeden overal ter wereld overstromen. Miljoenen mensen zullen vluchteling worden. En dit zijn slechts enkele gevolgen van de opwarming. Andere voorspelde effecten zijn onder meer langere perioden van droogte, een toename van het aantal ernstige overstromingen en krachtige stormen, bodemerosie, het massaal uitsterven van soorten en gezondheidsgevaren voor de mens door nieuwe ziekten. Het beperkte aantal mensen dat beter weer krijgt, zal daarvan kunnen 'genieten' in een landschap dat vrijwel onherkenbaar veranderd is.

Daarbij komt dat de ontbossing op aarde voor een groot deel wordt veroorzaakt door het kappen en branden om veeteeltgrond vrij te maken. De schade is nog groter omdat in de bomen kooldioxide is en wordt vastgelegd. Voor de teelt van fruit, groenten en granen zijn daarentegen 95 procent minder grondstoffen nodig. Een goede combinatie van deze producten kan evengoed een compleet en voedzaam dieet opleveren. Als meer mensen zouden overstappen op een dieet met minder vlees, dan zouden we de CO_2-emissie sterk verminderen en veel water en andere kostbare natuurlijke hulpbronnen sparen.

▶ Voor meer informatie over 'koeien en klimaatverandering': www.earthsave. org/globalwarming.htm en www.epa.gov/ methane/rlep/faq.html

Koop wat van dichtbij komt

Naast milieu-effecten die optreden bij het produceren van de dingen die je koopt moet je ook nog rekening houden met de CO_2-emissies door transportbewegingen in elk stadium van de productie. Geschat is dat een gemiddelde maaltijd zo'n 2000 kilometer per vrachtwagen, schip en/of vliegtuig heeft afgelegd voordat deze voor je op tafel staat. Vaak zijn meer calorieën energie uit fossiele brandstof nodig om het voedsel naar de consument te krijgen dan de maaltijd aan energetische voedingswaarde

biedt. Het is qua kooldioxide-uitstoot beter om voedsel te kopen dat niet zo'n lange weg heeft afgelegd.

Een van de manieren om hier iets aan te doen is voedsel eten dat in jouw omgeving is geteeld of geproduceerd. Koop zoveel mogelijk van boerenmarkten of van de landbouwcorporaties die vanuit de gemeenschap gesteund worden. Zo is het ook zinvol om zoveel mogelijk te

koken met het voedsel van het seizoen (het seizoen in jouw regio) en niet met producten die op dat moment van ver weg aangevoerd moeten worden.

▶ **Kom meer te weten over deze manier van eten (het 'hier en nu'-principe) en bestrijding van de klimaatverandering met mes en vork op: www.climatebiz.com/sections/news_ detail. cfm?NewsID=27338**

Neutraliseer de resterende emissies door compensatie

Autorijden, koken, onze huizen verwarmen, werken op de computer... Zo veel dingen die we in ons dagelijks leven doen resulteren in de uitstoot van broeikasgassen, dat het praktisch onmogelijk is om je bijdrage aan de klimaatcrisis tot nul terug te brengen. Toch kun je het equivalent van een nul-emissie bereiken door kooldioxide-emissies te compenseren. Als je certificaten voor compensatie aanschaft kan met dat geld een project worden gefinancierd dat elders broeikasgasemissies vermindert door bijvoorbeeld een grotere energie-efficiënte, duurzame energie, bosherstel of CO_2-opslag in de bodem.

▶ **Voor meer informatie en links voor het systeem van compenserende certificaten: www.ecobusinesslinks.com/cabon_offset_ wind_credits_carbon_reduction.htm**

MISVATTING 8

'Als wetenschappers opwarming registreren, dan meten ze slechts het effect van steden omdat die een stuk warmer zijn. Het heeft niets met broeikasgassen te maken.'

Mensen die de opwarming van de aarde willen ontkennen omdat dat eenvoudiger is dan er wat aan te doen beweren dat wat wetenschappers waarnemen in werkelijkheid het 'stedelijke hitte-eilandeffect' is, omdat een stedelijke omgeving door de aanwezigheid van gebouwen en asfalt veel warmer wordt dan het platteland. Hun veronderstelling is gewoon onjuist: temperatuurmetingen vinden doorgaans plaats in parken en die vormen koele eilanden binnen de stedelijke omgeving. Ook tonen de langetermijnregistraties aan dat de opwarming overal optreedt, zowel in steden als op het platteland. De meeste wetenschappelijke studies wijzen uit dat 'stedelijke hitte-eilanden' een verwaarloosbaar effect hebben op de algehele opwarming van onze planeet.

Wees zelf een katalysator voor verandering

Wat we doen om de klimaatcrisis te helpen oplossen hoeft niet beperkt te blijven tot maatregelen waarmee we onze eigen emissies beperken. Door je meer te verdiepen in de toestand van het milieu en wat daaraan gedaan wordt, kun je anderen informeren en inspireren om ook een bijdrage te leveren. We kunnen meer bewustzijn kweken in onze buurt, op scholen, op het werk, en manieren vinden om – hier en elders – programma's te starten. Als burgers in een democratie kunnen we kandidaten steunen die blijk hebben gegeven van verantwoordelijkheidsgevoel voor het milieu en we kunnen gebruik maken van ons stemrecht om leiders te kiezen die duurzaamheid aanhangen. We kunnen onze afkeur uitspreken als het beleid van onze gekozen leiders kwalijk is voor het milieu en we kunnen lobbyen ten gunste van programma's en maatregelen die de wereldwijde samenwerking rond dit onderwerp bevorderen. Als consumenten kunnen we ons aankoopgedrag en onze investeringskeuzen gebruiken om onze steun te betonen aan fabrikanten en winkels die integer zijn, het voortouw nemen en het goede voorbeeld geven.

Verdiep je verder in klimaatverandering

Er zijn veel websites die je meer informatie kunnen geven over klimaatverandering en de opwarming van de aarde. Enkele goede sites om mee te beginnen zijn:

▶ www.weathervane.rff.org
www.environet.policy.net
www.climateark.org
www.gcrio.org
www.ucsusa.org/global_warming

▶ Voor de laatste nieuwsberichten over dit onderwerp: www.net.org/warming

Deel je kennis

Deel de verworven kennis met anderen: familie, vrienden, collega's. Vertel hen over klimaatverandering en wat ze kunnen doen om bij te dragen aan de oplossing ervan. Als je de gelegenheid hebt, richt je dan tot een groter publiek, schrijf een stuk voor de opiniepagina of een brief naar de redacteur van de lokale krant of schoolkrant. Deel dit boek met anderen, net als andere informatiebronnen die mensen kunnen helpen om het belang van dit onderwerp te begrijpen.

Spoor je school of bedrijf aan emissies te verminderen

Je kunt je positieve invloed op emissies verder laten gaan dan je eigen huishouden door actief anderen aan te sporen om de nodige maatregelen te nemen. Denk erover na hoe je anderen op plekken als je werk, school, kerkgebouw of moskee kunt aanspreken.

Stem met je aankopen

Zoek uit welke merken en winkels zich inspannen om hun emissies te verminderen en milieuverantwoord te ondernemen. Ondersteun wat ze doen door hun producten te kopen en naar hun winkels te gaan. Zorg ervoor dat bedrijven die er geen acht op slaan zich bewust worden van jouw bezwaren. Laat ze weten dat je met anderen in zee gaat zolang ze op inefficiënte wijze met energie blijven omspringen.

▶ Voor informatie over milieuprestaties en -beleid van bedrijven waarvan je zaken koopt: www.coopamerica.org/programs/responsibleshopper of: www.responsibleshopper.org

Ga na welk effect je investeringen hebben

Als je investeert zou je je moeten buigen over het effect dat jouw investeringen hebben op klimaatverandering. Of je het geld nu bij een bank op een spaarrekening hebt staan, er aandelen voor koopt, in een pensioenregeling hebt gestopt of in een studiefonds voor je kind; het maakt uit waar je geld naartoe gaat.

Er bestaan fondsen voor spaarders en investeerders die de zekerheid geven dat het geld wordt geïnvesteerd in bedrijven, producten en projecten die voor wat betreft klimaat en andere duurzaamheidsaspecten verantwoord zijn. Bovendien is met deze aandacht voor duurzaamheid niet gezegd dat de revenuen van je investering kleiner zullen zijn. Het is bewezen dat ze hierdoor ook juist hoger kunnen zijn. Veel grote investeringsorganisaties in de wereld hebben deze visie onderschreven.

▶ Wat onderzoeksgegevens over dit onderwerp zijn te vinden op: www.socialinvest.org/areas/research

▶ Kijk hoe je door een verstandige keuze bij investeren kunt bijdragen aan het stoppen van de klimaatverandering, mondiale duurzaamheid kunt ondersteunen en er financieel wel bij kunt varen: www.socialinvest.org/Areas/SRIGuide

▶ Meer over hun onderzoek en aanpak is te vinden op www.unepfi.org en www.ceres.org

Kom politiek in actie

Klimaatverandering is een mondiaal onderwerp en individuele maatregelen zijn een essentiële eerste stap om de uitstoot van broeikasgassen te verminderen. Voor regeringen is dit in beginsel een politieke aangelegenheid (ook al nemen overheden op alle niveaus vaak ook puur uit routine beslissingen die leiden tot de uitstoot van broeikasgassen). Dit betekent dat individuen dingen kunnen veranderen door hun gekozen vertegenwoordigers onder druk te zetten om maatregelen te steunen die een goede invloed op de klimaatcrisis hebben.

Al in 194 steden (peilmoment december 2005) die samen 40 miljoen Amerikanen vertegenwoordigen is overeenstemming bereikt over het terugdringen van de eigen emissies, conform de uitstootvermindering waaraan de hele vs zich zou hebben gecommitteerd als ze het internationale Kyoto Protocol had geratificeerd. Dit protocol verlangt van de deelnemende landen dat ze hun broeikasgasemissies verminderen. De steden hebben dit toegezegd in het kader van het US Mayors Climate Protection Agreement.

▶ Voor meer informatie: www.ci.seattle.wa.us/mayor/climate

Het is duidelijk dat we een nog veel groter commitment van onze overheid moeten vragen. Als we onze visie niet luid en duidelijk kenbaar maken zullen de specifieke belangen van bedrijven die steevast tegen opgelegde emissiereducties zijn de overhand hebben.

▶ Om te zien waar kandidaten en partijen staan als het om milieu en klimaat gaat: zie www.lcv.org/scorecard

▶ Verzamel de feiten en zorg ervoor dat je stem gehoord wordt!

MISVATTING 9

'De opwarming van de aarde is het gevolg van een meteorietinslag in Siberië aan het begin van de twintigste eeuw.'

Het klinkt misschien absurd, maar deze stelling is een hypothese van een Russische wetenschapper. Wat eraan mankeert? Eigenlijk alles. Het inslaan van een meteoriet, zou, net als een vulkaanuitbarsting, onmiddellijke effecten op het klimaat kunnen hebben, als hij maar groot genoeg is. Er is echter geen enkel bewijs gevonden van opwarming of afkoeling in de periode na deze meteorietinslag. Een mogelijk effect van zo'n meteoriet is onder meer de vorming van veel waterdamp, maar deze damp blijft hooguit een paar jaar in de bovenste laag van de atmosfeer hangen. Er zouden dan hooguit kortetermijneffecten optreden die niet zo lang nog merkbaar zijn.

Steun een milieugroepering

Er zijn veel milieuorganisaties die goed werk verrichten omdat ze helpen de klimaatcrisis op te lossen, en allemaal kunnen ze steun gebruiken.
Zoek uit wat deze organisaties doen en raak erbij betrokken. Hier zijn om te beginnen wat organisaties:

▶ Natural Resources Defense Council (www. nrdc.org/globalwarming/default.asp)

▶ Sierra Club (www.sierraclub.org/ globalwarming)

▶ Environmental Defense (www. environmentaldefense.org/issue. cfm?subnav=12&linkID=15

MISVATTING 10

'In sommige gebieden stijgen de temperaturen niet, dus de opwarming van de aarde is een fabeltje.'

Het is zeker waar dat de temperatuur niet op elke plaats op aarde stijgt. In Crichtons boek *State of fear* komen mensen voor die grafieken tonen die voor specifieke plekken laten zien dat de temperaturen daar licht dalen of gelijk blijven. Deze grafieken zijn gebaseerd op echte gegevens van echte wetenschappers. Toch bewijzen deze nog niet de stelling. De opwarming van de aarde verwijst naar een stijging van de gemiddelde temperatuur van het aardoppervlak als geheel, als gevolg van toegenomen concentraties broeikasgassen. Omdat het klimaat een ongelooflijk complex systeem is, zijn de effecten van klimaatverandering niet overal hetzelfde. Sommige gebieden van de aardbol, zoals Noord-Europa, zouden feitelijk kouder kunnen worden. Dit verandert echter niets aan het feit dat over het geheel genomen de temperatuur van het aardoppervlak – en zo ook de temperatuur van onze oceanen – toeneemt. Deze stijging is aangetoond met gegevens uit diverse typen metingen, waaronder satellietdata. En allemaal laten ze dezelfde algemene gevolgen zien.

Europese/Nederlandse informatie op internet

Disclaimer: de auteur van dit boek heeft de onderstaande websites niet persoonlijk grondig onderzocht. Deze zijn uitsluitend op aangeven van de Nederlandse uitgever in deze vertaalde versie opgenomen. Ze vormen (uitsluitend) naar het oordeel van deze uitgever een voor de Nederlandse situatie nuttige aanvulling op de informatie van de auteur en op de websites die in de oorspronkelijke Amerikaanse tekst staan.

CO_2-uitstoot (en mogelijkheden om die te verlagen): www.milieucentraal.nl, www. voetenbank.nl, voetafdruk.be en www. energielastenverlager.nl
Spaarlampen en besparingen: www.milieu-centraal.nl, www.slimlicht.nl (spaarlampen bestellen) en www.hier.nu
Apparaten en energie: www.milieucentraal. nl, www.consument-en-energie.nl, www. top10.hier.nu en www.efficient-appliances. org
Over computers, printers en andere kantooruitrusting: www.milieucentraal. nl/pagina?onderwerp=Computers en www. eu-energystar.org
Energie Prestatie Advies: www.milieucen-traal.nl en www.epadesk.nl
Energiebronnen en prijzen: www.energie-prijzen.nl, www.energiewereld.nl, www. gaslicht.com, www.energiebond.nl, www. energievoorzieningen.nl, www.vergelijk. nl, www.energieleveranciers.nl en www. energieplaza.nl (sites met informatie over energiebronnen die verschillende leve-ranciers gebruiken en hun energieprijzen); www.consument-en-energie.nl (voor een uitgebreide rondleiding door de wereld van duurzame energie); www.milieukeur.

nl (groene stroom met milieukeur); www. duurzameenergie.org, www.sbr.nl/windtur-bines, www.hollandsolar.nl, www.uneto-vni. nl , www.zonne-energie.pagina.nl (wind- en zonne-energie); www.ez.nl en www.vrom. nl. (informatie over belastingvoordeel of subsidies).
Fietsen: www.fietsersbond.nl
Openbaar vervoer: www.9292.ov.nl (reis-planner), www.rover.nl (ov-reizigersbelan-gen).
Autogebruik: Zoek bijvoorbeeld op de termen 'carpoolen' en 'autodelen'; www. hetnieuwerijden.nl, www.anwb.nl, www. vrom.nl (brandstofverbruik)
(Vlieg)verkeer: op www.milieucentraal.nl is met de adviesmodule Klimaatwijs uit te rekenen hoeveel CO_2 en andere broeikasgas-sen een buitenlandse reis met vliegtuig, auto, bus of trein veroorzaakt.
Klimaatcompensatie: kijk voor klimaatcom-pensatie op http://www.milieucentraal.nl/ pagina?onderwerp=Klimaatcompensatie# Mogelijkheden
Recycling: www.allesduurzaam.nl /kring-loop/tweedehands
Voeding: www.dekleineaarde.nl, www. milieucentraal.nl (informatie over vleescon-

sumptie en -vervangers), www.vegetariers. nl, www.wakkerdier.nl (voor o.m. vegetari-sche en diervriendelijke restaurants), www. goedewaar.nl en www.voedingscentrum.nl (algemene informatie over voeding).
Klimaatverandering: www.hier.nu, www. milieucentraal.nl, www.klimaatportaal.nl, www.knmi.nl ('Klimaatverandering', 'Broei-kaseffect'), www.grist.org
Geld & klimaat en groen: http://www.duur-zaam-beleggen.nl/ (overzicht van relevante beleggingsfondsen) www.groenbeleggen. verzamelgids.nl (startpagina met fondsen), www.vbdo.nl (belangenvereniging van duur-zame beleggers), www.consumentenbond. nl, www.groenfonds.nl
Politiek en milieu: www.stemwijzer.nl, www. milieudefensie.nl, www.natuurenmilieu.nl
Milieugroeperingen: Onder meer: www.wnf. nl, www.milieudefensie.nl, www.snm.nl en www.greenpeace.nl. Veel organisaties op het gebied van onder meer natuur, milieu en handel- en ontwikkelingsproblematiek, vluchtelingen, kinderen en gezondheid voeren momenteel gezamenlijk de HIER-campagne om aandacht te vragen en actie te ondernemen tegen klimaatverandering: www.klimaatbureau.nl

DANKBETUIGINGEN

Mijn vrouw, Tipper, begon er een aantal jaren geleden op aan te dringen dat ik dit boek zou schrijven. Volgens haar waren bij het publiek de zorgen en interesse aangaande de opwarming van de aarde aanzienlijk toegenomen sinds ik begin 1992 mijn boek *Earth in the Balance* publiceerde. Een nieuw soort boek, een combinatie van tekst met recente, up to date informatie en foto's en grafische illustraties zou de klimaatcrisis voor een breder publiek toegankelijker kunnen maken en zou mensen minder snel laten afhaken. Zoals zo vaak in ons 36-jarig huwelijk had ze niet alleen gelijk, maar hield ze ook met geduld en doorzettingsvermogen voet bij stuk, totdat ik me realiseerde dat ze gelijk had. In elk geval: ze hielp me in elke fase van het proces waarmee het boek van idee in werkelijkheid veranderde. Onnodig te zeggen dat dit boek er zonder Tipper niet was geweest.

Nadat ik de tekst eind 2005 uiteindelijk af had, voegden we met z'n tweeën alle tekst, foto's en grafische illustraties in de juiste volgorde samen en verstuurden het op oudejaarsavond, even voor twaalven, van ons huis in Nashville naar mijn agent Andrew Wylie in New York City. Andrew wist, zoals gebruikelijk, het manuscript op de juiste wijze in de juiste handen te geven, zodat zeker was dat het de beste kans kreeg om uit te groeien tot het boek dat u nu in handen heeft.
Mijn ervaringen met Rodale waren niet minder dan spectaculair. Steve Murphy, de baas, maakte dit tot zijn persoonlijke project en bewoog hemel en aarde om

een ingewikkeld en ongewoon project op schitterende wijze en in een recordtijd te voltooien. Ik wil ook graag de Rodale-familie bedanken, voor haar zo inspirerende levenslange toewijding aan het milieu en voor de zeer gewaardeerde royale steun voor dit project.

Ik ben in het bijzonder mijn redacteur Leigh Haber dankbaar voor haar onmisbare rol om dit boek vorm te geven, voor haar kundigheid, suggesties en creatieve ideeën en vanwege het feit dat zij dit hele proces van begin tot eind tot iets leuks heeft gemaakt, ook al waren we koortsachtig aan het werk om de onmogelijk scherpe deadlines te halen. Dank ook aan alle anderen die bij Rodale zo hard aan dit project hebben gewerkt: Liz Perl en haar team, Tami Booth Corwin, Caroline Dube, Mike Sudik en zijn geweldige productieteam en Chris Krogermeier en haar medewerkers.

Ik ben Leigh ook erkentelijk voor haar beslissing om Charlie Melcher en zijn toegewijde collega's bij *Melcher Media* en *mgmt. design* uit te nodigen om mee te werken in het buitengewoon creatieve team dat Rodale organiseerde en Leigh leidde. Een speciaal bedankje voor Jessi Rymill, Alicia Cheng en Lisa Maione voor de lange avonden doorwerken. Ook bedank ik Bronwyn Barnes, Duncan Bock, Jessica Brackman, David Brown, Nick Carbonaro, Stephanie Church, Bonnie Eldon, Rachel Griffin, Eleanor Kung, Kyle Martin, Patrick Moos, Erik Ness, Abigail Pogrebin, Lia Ronnen, Hillary Rosner, Alex Tart, Soshana Thaler en Matt Wolf. Charlie en zijn groep kwamen met een zeer creatieve aanpak en een echt indrukwekkende inzet bij

het ontwerpen en produceren van deze ingewikkelde presentatie.
Verder wil ik Mike Feldman en zijn collega's van de *Glover Park Group* bedanken voor hun hulp.

Het boek en de film zijn twee gescheiden (deel)projecten geweest, maar het filmteam verdient een speciaal bedankje voor de vele dingen die ze hebben gedaan om het succes van het boek mogelijk te maken, ook al was de film op dat moment nog in de eerste fasen van voorbereiding. In het bijzonder bedank ik:

Lawrence Bender
Scott Z. Burns
Lesley Chilcott
Megan Colligan
Laurie David
Davis Guggenheim
Jonathan Lesher
Jeff Skoll

Een speciaal bedankje voor Matt Groening.

Mijn vriendin Melissa Etheridge was ongelooflijk meelevend en behulpzaam door voor het eind van de film speciaal een nummer te componeren en te zingen.

Vele jaren voordat er een film was hielpen Gary Allison en Peter Knight me om een project op poten te zetten dat van onschatbare waarde bleek in de projecten waarmee ik me de laatste paar jaren heb beziggehouden.

Dank aan Rob Gelbspan voor zijn toewijding en onvermoeibaarheid.

De familie Gore tijdens het huwelijksfeest van Kristin Gore en Paul Cusack, 2005
ACHTERSTE RIJ, VAN LINKS NAAR RECHTS: Drew Schiff, Frank Hunger, Albert Gore, Al Gore en Paul Cusack;
VOORSTE RIJ, VAN LINKS NAAR RECHTS: Sarah Gore, Karenna Gore Schiff, Wyatt Schiff (6 jaar oud), Tipper Gore, Anna Schiff (4 jaar oud) en Kristin Gore

Gail Buckland heeft me geweldig geholpen bij het vinden van foto's. Ze is de grootste kenner van fotoarchieven ter wereld, en ik vond het altijd een plezier om met haar te werken en van haar te leren.

Ook de mensen van Getty Images deden veel meer dan ze strikt genomen hadden hoeven doen om me met dit project te helpen.

Ik ben in het bijzonder ook veel dank verschuldigd aan Jill Martin en Ryan Orcutt van Duarte Design en aan Ted Boda de voorganger van Ryan. Zij hebben in de afgelopen jaren ontelbare uren besteed om me te helpen bij het vinden van beeldmateriaal en grafieken die lastige begrippen en verschijnselen konden illustreren.

Tom Van Sant besteedde vele jaren van zijn leven aan het uitdenken en nauwgezet vervaardigen van een van de opmerkelijkste series van fotografische beelden van de aarde die ooit gemaakt zijn. Zijn beelden inspireerden me toen ik ze zeventien jaar geleden voor het eerst zag en hij is ze sinds die tijd blijven verbeteren. Ik ben hem erkentelijk omdat ik gebruik heb kunnen maken van zijn recentste beelden met een resolutie van een meter.

Uit het grote aantal wetenschappers dat me door de jaren heen geholpen heeft om meer van dit onderwerp te begrijpen, wil ik een kleine groep uitlichten die een speciale rol heeft gespeeld in de advisering met betrekking tot dit boek en de film die deel is van het grotere project.

James Baker
Rosina Bierbaum
Eric Chivian
Paul Epstein
Jim Hansen
Henry Kelly
James McCarthy
Mario Molina
Michael Oppenheimer
David Sandalow
Ellen en Lonnie Thompson
Yao Tandong

Voorts drie eminente, al overleden wetenschappers, die vanwege hun werk en inspiratie uiterst belangrijk waren voor dit boek:

Charles David Keeling
Roger Revelle
Carl Sagan

Ik dank Steve Jacobs en mijn vrienden bij Apple Computer, Inc.(waar ik in de Raad van Bestuur zit) voor hun hulp bij Keynote II software programma waarvan ik uitgebreid gebruik heb gemaakt bij het samenstellen van dit boek.

Ik ben mijn partners en collega's bij Generation Investment Management bijzonder dankbaar voor hun hulp bij het analyseren van een aantal complexe vraagstukken die in dit boek aan de orde komen. En ik wil mijn collega's bij Current tv bedanken omdat ik diverse beelden die in dit boek gebruikt zijn, met hun hulp kon vinden.

Ik wil ook mijn dank betuigen aan MDA Federal, Inc. vanwege de geboden hulp bij het berekenen en maken van de beelden die met wetenschappelijke precisie laten zien welk effect de zeespiegelstijging zou hebben op verschillende steden wereldwijd.

Al de tijd dat ik aan dit boek werkte is mijn medewerker Josh Cherwin me op talloze manieren ongelooflijk behulpzaam geweest. Ook de rest van mijn personeelsstaf heeft enorm veel bijgedragen:

Lisa Berg
Dwayne Kemp
Melinda Medlin
Roy Neel
Kalee Kreider

Verschillende familieleden hadden een directe rol door me te helpen bij dit project:

Karenna Gore Schiff en Drew Schiff
Kristin Gore en Paul Cusack
Sarah Gore
Albert Gore III
mijn zwager Frank Hunger

Stuk voor stuk zijn ze voor mij een constante inspiratiebron geweest en mijn belangrijkste persoonlijke link met de toekomst.

VERANTWOORDING

Illustraties: Michael Fornalski
Grafieken: mgmt.design

Dank aan de volgende personen en organisaties voor het leveren van beeldmateriaal voor dit project:
Animals Animals; ArcticNet; Yann Arthus-Bertrand (www.yannarthusbertrand.com); Buck/Renewable Films; Tracey Dixon; Getty Images; Kenneth E. Gibson; Tipper Gore; Paul Grabbhorn; Frans Lanting (www.lanting.com); Eric Lee; Mark Lynas; Dr. Jim McCarthy; Bruno Messerli; Carl Page; W.T. Pfeffer; Karen Robinson; Vladimir Romanovsky; Lonnie Thompson; Tom Van Sant

De foto's worden aangeduid met het paginanummer. Voor alle foto's en illustraties ligt het copyright © bij de desbetreffende bronnen.

Binnenzijde omslag, voorin het boek: Eric Lee/Renewable Films (Al Gore) en NASA (Aarde); pag. 2-3: Tipper Gore; 6: welwillend ter beschikking gesteld door de familie Gore; 12-13: NASA; 14: NASA; 16-17: Tom Van Sant/GeoSphere Project; 18-19, uitslaande pagina: Tom Van Sant/GeoSphere Project en Michael Fornalski; 22-23: Getty Images; 24-25: Steve Cole/Getty Images; 26-27: Tom Van Sant/GeoSphere Project en Michael Fornalski; 28-29: Derek Trask/Corbis; 32-33: Tom Van Sant/GeoSphere Project; 34-35: Tom Van Sant/GeoSphere Project en Michael Fornalski; 38-39: Antony Di Gesu/San Diego Historical Society; 40: Lou Jacobs, Jr./Scripps Institution of Oceanography Archives/University of California, San Diego; 41: (boven) Bob Glasheen/The Regents of the University of California /Mandeville Special Collections Library, UCSD; (onder) SIO Archives/UCSD; 42-43: Bruno Messerli; 44: Carl Page;45: Lonnie Thompson; 46-47: U.S.Geological Survey; 48-49: Daniel Garcia/AFP/Getty Images; 51: (foto) R.M. Krimmel/USGS; (grafische toevoeging) W.T. Pfeffer/INSTAAR/University of Colorado; 52-53 Lonnie Thompson; 54-55 (compositie) Daniel Beltra/ZUMA Press/Copyright: Greenpeace; 56-57: (alle foto's) Copyright: Sammlung Gesellschaft für oekologische Forschung, München, Duitsland; 58-59: Map Resources; 60-61 (alle beelden) Lonnie Thompson; 62: Lonnie Thompson; 65: Vin Morgan /AFP/Getty Images; 68-69: Tipper Gore; 70: (boven) Bob Squier; (onder) Tipper Gore; 71: (alle foto's) Tipper Gore; 74-75: Michaela Rehle /Reuters; 80-81: NOAA; 82: NASA; 85: NASA; 86-87: Don Farall/Getty Images; 88: Andrew Winning/Reuters/Corbis; 90: Robert M. Reed/USCG via Getty Images; 91: Stan Honda/AFP/Getty Images; 94-95: NASA; 96: (boven) David Portnoy/Getty Images; (onder) Robyn Beck/AFP/Getty Images; 97: (boven) Marko Georgiev/Getty Images; (onder) Reuters/Jason Reed; 98-99: Vincent Laforet/The New York Times; 103: Reuters/Carlos Barria; 104-105: (compositie) NASA/NOAA/Plymouth State Weather Center; 107: Reuters/Pascal Lauener; 108-109: Keystone/Sigi Tischler; 110-111: Sebastian D'Souza/AFP/Getty Images; 112: Reuters/China Newsphoto; 113: China Photos/Getty Images; 114-115: Tom Van Sant/GeoSphere Project en Michael Fornalski; 116 (alles) NASA; 117: St De Sekutin/AFP/Getty Images; 118-119: Yann Arthus-Bertrand [weg in het Nijl-dal (Egypte, 25° 24'N, 30° 26'O), onderbroken door een zandduin. Zandkorrels van een oude rivier of meer-

afzettingen, die zich in kuilen hebben verzameld en zijn uitgezeefd gedurende duizenden jaren van wind en storm, stapelen zich op voor obstakels en vormen uiteindelijk duinen. Dergelijke duinen bedekken een derde van de Sahara en de hoogste, lang gestrekte exemplaren kunnen een hoogte bereiken van bijna 300 meter. 'Barchans' zijn mobiele, halvemaanvormige duinen die zich verplaatsen in de overheersende windrichting met snelheden van zo'n 10 meter per jaar. Soms overdekken ze daarbij infrastructuur, zoals deze weg in het dal van de Nijl. Woestijnen zijn er altijd geweest in de geschiedenis van onze planeet. Ze ontwikkelden zich (gedurende honderden miljoenen jaren) in reactie op klimaatveranderingen en verschuiving van continenten. Twintigduizend jaar geleden waren de bergen in het midden van de Sahara begroeid met bos en gras (prairies). Er zijn daar grottekeningen ontdekt waarop olifanten, neushoorns en giraffen te zien zijn, een bewijs dat deze dieren zo'n achtduizend jaar geleden in het gebied aanwezig waren. Menselijke activiteiten, in het bijzonder een te grote druk op de vegetatie in semi-aride gebieden aan de rand van de woestijnen, spelen ook een rol in de woestijnvorming]; 120: Paul S. Howell/Getty Images; 121: (grafische afbeeldingen) Geophysical Fluid Dynamics Laboratory/NOAA; 122-123: Tipper Gore; 124: (links) welwillend ter beschikking gesteld door de familie Gore; (rechts) Washingtonian Collection/Library of Congress; 125: (alle foto's) Ollie Atkins/Saterday Evening Post; 127: Tom Van Sant/Geosphere Project en Michael Fornalski; 128-129: Derek Mueller en Warwick Vincent/Laval University/ArcticNet; 130-131: Peter Essick/Aurora/Getty Images; 132: (boven) Vladimir Romanovsky/Geophysical Institute/UAF; (onder) Mark Lynas; 133: (grafische afbeelding) Arctic Climate Impact Assessment; 134: (boven) Bryan & Cherry Alexander Photography; (boven) Paul Grabbhorn ; 136-137: Karen Robinson; 139: David Hume Kennerly/Getty Images; 140: (boven) New Republic; (onder) Tipper Gore; 141: White House Official Photo; 142: Naval Historical Foundation; 145: Michael Fornalski; 146-147: Tracey Dixon; 148: Tom Van Sant/Geosphere Project en mgmt.design; 150-151: Tom Van Sant/Geosphere Project en Michael Fornalski; 153: Benelux Press/Getty Images; 155: Kenneth E. Gibson/USDA Forest Service/www.forestryimages.org; 156-157: Peter Essick/Aurora/Getty Images; 158-160: Nancy Rhoda; 161: (boven) Nancy Rhoda; (onder) welwillend ter beschikking gesteld door de familie Gore; 162: (van links naar rechts, boven tot onder) Juan Manuel Renjifo/Animals Animals; David Haring/OSF/Animals Animals;Rick Price Survival/OSF/Animals

Animals; Juergen en Christine Sohns/Animals Animals;
Johnny Johnson/Animals Animals ; Frans Lanting; Michael
Fogden/OSF/Animals Animals; Johnny Johnson/Animals
Animals; Raymond Mendez/Animals Animals; Leonard
Rue/Animals Animals; Frans Lanting; Frans Lanting; Peter
Weimann/Animals Animals;Don Enger/Animals Animals;
Erwin en Peggy Bauer/Animals Animals; Frans Lanting;
165: Paul Nicklen/National Geographic/Getty Images;
166-167: Bill Curtsinger/National Geographic/Getty
Images; 168: David Wrobel/Getty Images; 169: (grafische
afbeeldingen) USGCRP; 170: Janerik Hendriksson/
SCANPIX/Retna Ltd.; 171: (boven) Kustbevakningsfyget/
SCANPIX/Retna Ltd.; (onder) Kustbevakningen/ SCANPIX/
Retna Ltd.;174 (alle beelden) Centers for Disease Control
and Prevention; 177: Tom Van Sant/Geosphere Project;
178-179: Frans Lanting; (inzet) Jerome Maison/Bonne
Pioche/Een film van Luc Jacquet/Geproduceerd door
Bonne Pioche productions; 180: British Antarctic Survey;
182-183: (alle satellietbeelden) NASA; 184-185: Frans
Lanting; 186-187: Mark Lynas; 188: Andrew Ward/Life
File/Getty Images; 192: (van links naar rechts) Dr. Jim
McCarthy; (grafiek) Buck/Renewable Films en NASA ; 193:
Roger Braithwaite/Peter Arnold; 194-195: (illustratie)
Renewable Films/ACIA; 198-202: (alle beelden) MDA
Federal Inc. en Brian Fisher/Renewable Films; 203: Ooms
Avenhorn Groep bv; 204-209: (alle beelden) MDA Federal
Inc. en Brian Fisher/Renewable Films; 211-213: welwillend
ter beschikking gesteld door de familie Gore; 214-215:
Yann Arthus-Bertrand [Afvalstortplaats in Mexico-Stad,
Mexico (19°24'N, 99°01'W). Op alle continenten hoopt het
huishoudelijk afval zich op en vormt, net als uitlaatgassen
van het verkeer en industriële vervuiling, een ernstig
probleem voor grote steden. Met z'n ca. 21 miljoen
inwoners produceert Mexico-Stad bijna 20.000 ton afval
per dag. Zoals in zoveel landen wordt de helft hiervan naar
open stortplaatsen gebracht. De groei van het afvalvolume
op onze planeet gaat gelijk op met de bevolkingsgroei en
vooral met economische groei. Een Amerikaan produceert
meer dan 700 kilo huishoudelijk afval per jaar, ongeveer
het viervoudige van iemand in een ontwikkelingsland
en twee keer zoveel als de gemiddelde Mexicaan. In
geïndustrialiseerde landen is het afvalvolume per hoofd
van de bevolking in twintig jaar tijd verdrievoudigd. Het
recyclen, hergebruiken en terugdringen van verpakkingen
zijn mogelijke oplossingen voor het probleem dat ontstaat
door storten en verbranding, wat in bijvoorbeeld Frankrijk
nog de praktijk is voor 41 resp. 44 procent van het jaarlijks
geproduceerde huishoudelijk afval.] 218-219: Yann
Arthus-Bertrand [Het district Shinjuku in Tokio, Japan
(35°42'N, 139°46'O). In 1868 werd Edo – van oorsprong
een vissersdorp, gebouwd in een moeras – tot de
hoofdstad Tokyo. De stad werd verwoest door een
aardbeving in 1923 en bombardementen in 1945, maar
werd beide keren weer opgebouwd. De stad, die zich
inmiddels uitstrekt over een kuststrook van 70 kilometer
en 28 miljoen inwoners telt, (omliggende gebieden
zoals Yokohama, Kawasaki en Chiba meegerekend) is
het grootste stedelijk gebied in de wereld. Tokyo werd
niet volgens een integraal stedelijk ontwerp gebouwd
en heeft daarom meerdere stadscentra, waar omheen
diverse districten liggen. Shinjuku, het zakendistrict
wordt vooral gevormd door een indrukwekkend aantal
overheidsgebouwen, waaronder het stadhuis, een 243
meter hoog gebouw dat naar het model van de Notre
Dame in Parijs is opgetrokken. In het jaar 1800 was
Londen de enige stad met meer dan één miljoen inwoners.
Inmiddels zijn er 326 miljoenensteden, waaronder
180 steden in ontwikkelingslanden en 16 megasteden
met meer dan tien miljoen inwoners. Verstedelijking
heeft ertoe geleid dat het aantal mensen dat in de
stad leeft sinds 1950 verdrievoudigd is.]; 220: Peter
Essick/Aurora/Getty Images; 221: Kelvin Schafer/Coirbis;
222-223: National Geographic; 224-225: United Nations
Environmental Programma; 226-227: Stephen Ferry/
Liason/Getty Images; 228: Philippe Colombi/Getty Images
; 230-231: NASA; 233: Michael Dunning/Getty Images;
234: (van links naar rechts en van boven naar onder)
Bridgeman Art Library/Getty Images; Hulton Archive/Getty
Images; Palma Collection/Getty Images; Bettmann/Corbis;
235: Corbis; 236: Dean Conger/Corbis; 237: Photodisc/
Getty Images; 238-239: Beth Wald/Aurora/Getty Images;
240-241: Baron Wolman/Corbis; 242-243: USGS; 244-
245: David Turnley/Corbis ; 246-247: Digital Vision/Getty
Images; 248-249: NASA; 257: welwillend ter beschikking
gesteld door de familie Gore; 258: Ollie Atkins/Saterday
Evening Post; 259: (boven) Ollie Atkins/Saterday Evening
Post; (onder) Ollie Atkins/Saterday Evening Post; 264:
The New York Times; 271: Het Witte Huis; 277: (van links
naar rechts en van boven naar onder) William Thomas
Cain/Getty Images; Koichi Kamoshida/Getty Images; Mark
Segal/Getty Images; City of Chicago; Joe Raedle/Getty
Images; David Paul Morris/Getty Images; James Davis/
Eye Ubiquitous /Corbis; 278-279: Yann Arthus-Bertrand
[Het windmolenpark Middelgrunden voor de kust bij
Kopenhagen, Denemarken (55°40'N, 12°38 O). Sinds eind
2000 staat één van de grootste offshore windmolenparken
van dit moment in de Straat Öresund die Denemarken
en Zweden scheidt. De twintig turbines van dit park
steken elk 64 meter boven het wateroppervlak uit en
zijn alle uitgerust met een rotor met een diameter van
76 meter. De turbines tezamen vormen een boog met
een lengte van 3,4 kilometer. Met een vermogen van
40 MW produceert dit park jaarlijks 89.000 MWh aan
energie (ca. 3 procent van het elektriciteitsverbruik van
Kopenhagen). Denemarken heeft gepland om in 2030 40
procent van haar elektriciteitsverbruik met behulp van
windenergie te dekken (tegen de 13 procent in 2001).
Hoewel hernieuwbare vormen van energie maar 2 procent
van het energieverbruik wereldwijd dekken, trekken
de ecologische voordelen grote belangstelling. Dankzij
technische verbeteringen is het lawaai van de windparken
– die doorgaans op zo'n 500 meter naar woongebieden
worden gebouwd – afgenomen. Daarmee wordt ook de
weerstand tegen deze parken kleiner. Met een gemiddelde
jaarlijkse groei van 30 procent in de afgelopen vier jaar is
duidelijk dat windenergie hier voorgoed een plaats heeft
gekregen.] 284-285: welwillend ter beschikking gesteld
door de National Archives; 287: Callie Shell; 290-291:
(van links naar rechts en van boven naar onder) Hulton
Archive/Getty Images; G.A. Russell/Corbis; National
Archives; Time Life Pictures/U.S. Coast Guard/Time
Life Pictures/Getty Images; Bettman/Corbis; AFP/Getty
Images; 292-293: NASA; 295: NASA; 296-297: Subaru
Telescope, National Astronomical Observatory of Japan;
298-299: NASA; 300-301: NASA; 302-303: NASA; 306:
Royalty-Free/Corbis; 311: Paul Costello/Getty Images; 314:
Michael S. Yamashita/Corbis; 319: Joel W. Rogers/Corbis;
322: Tipper Gore; binnenzijde achterflap: National Optical
Astronomy Observatory/Association of Universities for
Research in Astronomy/ National Science Foundation.

CANEY FORK RIVIER
CARTHAGE, TENNESSEE, 2006
FOTO: TIPPER GORE